PAU GASOL
LIFE • VIDA

PHOTOGRAPHY BY LORI SHEPLER

FOREWORDS BY
PHIL JACKSON, KOBE BRYANT,
JUAN CARLOS NAVARRO

CTK
Productions LLC
Huntington Beach, California

Library of Congress Control Number: 2013950502

Printed in the U.S.A. by Bang Printing
Distributed by Avanquest Distribution Services
First Edition 2013

ISBN: 978-0-615-88282-6
Published by:

Productions LLC

CTK PRODUCTIONS LLC
PUBLISHING DIVISION
6041 BOLSA AVE
STE 4-198
HUNTINGTON BEACH, CA 92647

CTK Productions website www.ctkproductionsllc.com
Email LoriShepler@ctkproductionsllc.com
CTK Productions CEO: Lori Shepler

Author: Pau Gasol
Photography and production: Lori Shepler
www.lorishepler.com
Editor: Phuong Nguyen Cotey
Designer: Howard Shen

Cover design by Howard Shen
with Lori Shepler

DEDICATIONSDEDICATORIA

To my family: my parents, Marisa and Agustí; my brothers, Marc and Adrià;
my grandparents, Lluisa and Vicenç, and Marta and Cisco;
my uncle and aunt Ferran and Montse; my cousins Marta and Albert.
You all are my true champions who always encouraged me to give the very best of myself.

To my amazing fans: for giving my life a special meaning beyond me as a person.

A mi familia, mis padres Marisa y Agustí, mis hermanos Marc y Adrià, mis abuelos Lluïsa y Vicenç,
y Marta y Cisco, mis tíos Ferran y Montse, y mis primos Marta y Albert, mis verdaderos campeones,
que siempre me han animado a dar lo mejor de mí.

A mis queridos seguidores por hacer que mi vida tenga un sentido especial más allá de mi persona.

CONTENTS CONTENDIDO

RENAISSANCE MAN
HOMBRE DEL RENACIMIENTO
PHIL JACKSON

IF I COULD CHOOSE MY BROTHER
SI PUDIERA ESCOGER A MI HERMANO
KOBE BRYANT

A FRIEND FOR A LIFETIME
UN AMIGO PARA TODA LA VIDA
JUAN CARLOS NAVARRO

INTRODUCTION INTRODUCCIÓN
FAMILY FAMILIA • 1
BASKETBALL BALONCESTO • 21
MUSIC MÚSICA • 45
FOOD COMIDA • 61
VALUES VALORES • 77
AMERICA AMÉRICA • 91
READING LECTURA • 107
FAME FAMA • 117
PHILANTHROPY FILANTROPÍA • 131
BARCELONA • 149
SUCCESS ÉXITO • 161
KOBE • 179
MEDICINE MEDICINA • 193
FANS AFICIONADOS • 207
CHALLENGES RETOS • 225
BEYOND BASKETBALL DESPUÉS BALONCESTO • 249

BEHIND THE LENS DETRÁS DE LA CÁMARA • 261
ACKNOWLEDGMENTS AGRADECIMIENTOS • 269
THE TEAM EL EQUIPO • 273

RENAISSANCE MAN

After my retirement from basketball in 2011, Pau came to see me at my house. I had coached him for four years and we weren't happy, any of us, about the way my final season had culminated with the Lakers.

He wanted to go through a kind of "breaking of the bond" we had shared together as coach and player. We spent a couple of hours talking about the future, his basketball, and his personal life.

We reached a resolution that day, but it did not signal the end. Our relationship transcends the court; the circle of our friendship is infinite.

So it's no surprise that since that day, Pau and I have stayed in touch. We've had lunch a couple of times to talk about his life away from the game.

Every time we're together, I'm reminded of a question I used to ask every prospect who has ever tried out for my teams: "What other things do you participate in?" From a young age, a lot of our players become focused on one thing: basketball. They're one-dimensional. Not Pau. Pau is a Renaissance man.

He not only has a championship career to enjoy, but he also has the ability to reach people on an intellectual level.

He always read the books that I gave out and discussed them with me. Any time you can share a thought or an idea like that, it makes you feel in sync with the other person.

He's very mindful, and is a great representative for a team to have and for the NBA.

He is different from most players. He possesses a tremendous amount of skill, God-gifted. He plays the game in which if there's an open man, he makes the pass. He's a player who is looking to help his teammates out and share the role of leadership. From that standpoint, he is an ideal teammate to play with.

But more than anything else, there is a certain amount of grace in Pau's character. He is a classy guy who is very much a giving person—one who returns his good fortunes back to the community. He is comfortable and stays true to his beliefs. He has a lot of goodwill in his being.

Pau has been a wonderful addition to my life. He's a son whom I could adopt very easily and embrace. To have a book about his life and his interests off the court is a great expression about who he is as an individual.

It's gratifying to know that finally, the world gets to see and understand what I have enjoyed. And that is the scope and breadth of Pau Gasol.

Phil Jackson
Former NBA coach of eleven championship titles

HOMBRE DEL RENACIMIENTO

Después de retirarme del baloncesto, tras la temporada 2010-2011 en la NBA, Pau vino un día a visitarme a casa. Le había entrenado durante cuatro años, y ninguno de los dos quedó satisfecho con la forma en que acabó mi última etapa en los Lakers.

Quería que pudiéramos sincerarnos e ir más allá de la relación que tuvimos como entrenador y jugador. Estuvimos hablando varias horas sobre el futuro, sobre el baloncesto que tenía por delante y sobre su vida personal.

Llegamos a conclusiones importantes ese día, y ese fue el principio de otra relación distinta. Nuestra relación transciende las pistas de baloncesto, y el círculo de nuestra amistad es infinito.

Así que para mí no es una sorpresa que después de aquel día Pau y yo hayamos seguido en contacto. En diferentes ocasiones hemos quedado para comer y hablar de su vida más allá del baloncesto.

Cada vez que nos juntamos, recuerdo una pregunta que solía hacer a los jugadores que podían recalar en mis equipos: «¿En qué otras cosas participas aparte del baloncesto?». Desde muy jóvenes la mayoría de los jugadores centran sus esfuerzos en una sola cosa: baloncesto. Son unidimensionales. Pau no. Pau es un hombre del Renacimiento.

No solo es un ganador y tiene una carrera llena de logros deportivos que disfrutar, sino que también tiene la capacidad de llegar a la gente de forma intelectual.

Siempre ha leído los libros que le he dado, y luego los hemos comentado. Y cuando puedes conectar con alguien a ese nivel, te sientes en sintonía con esa persona.

Es un persona consciente de lo que pasa a su alrededor, y un gran embajador para cualquier equipo de la liga y para la propia NBA.

Es diferente a la mayoría de jugadores. Tiene muchísimo talento natural en muchas facetas del juego. Si hay algún compañero que está solo, lo encontrará y le hará llegar el balón. Siempre está buscando poder ayudar a los compañeros y no tiene problemas en compartir el papel de liderazgo. Desde ese punto de vista, es un compañero ideal con el que jugar.

Pero por encima de cualquier otra cosa, siempre me llamó la atención esa gracilidad en el carácter de Pau. Es una persona elegante a quien le gusta dar. Alguien que siempre piensa en devolver generosamente lo que ha recibido. Es fiel a sus valores, una persona consecuente con sus convicciones. Alguien lleno de buena voluntad.

Es una gran nueva amistad dentro de mi vida. Podría fácilmente adoptarlo como uno de mis hijos. Este libro en el que nos habla de sus intereses y sus experiencias es una gran forma de expresar quién es como persona.

Es gratificante saber que, finalmente, el mundo va a poder ver y entender lo que yo he disfrutado. Y eso es la amplitud de Pau Gasol.

Phil Jackson
Ganador de once anillos de la NBA como entrenador
Dos veces como jugador.

IF I COULD CHOOSE MY BROTHER

I am the youngest of three children. Living with two older sisters, there were times I wished I had a brother.

If I could choose my brother today, he would possess qualities that would make him a great leader: calm in the face of a storm; controlled in the throes of confusion. He would be level-headed in his actions and understanding in his judgment.

Like me, he would play in the NBA.

He would have the highest basketball IQ in the league and play with versatility and tenacity. You'd have to search and search and you still would not find another player in the history of the game with his skill set.

He'd be a finesse player, too, but tough—as tough as they come. Going up against a physical front line by himself, he wouldn't retreat.

If his organization ever let him down, he would hold his head up high. He would come to work every day, and continue to put in his best effort. He would not lash out or let himself become entangled in the drama. He would not let it change him.

We would both face adversity in our professions, so we would talk about our lives and our careers, about the pressures of our celebrity. Our bond would be fortified by a trust only brothers share.

We would travel to the Olympics in Barcelona and we would have dinner at a little restaurant, which would be much like his character: humble, modest, unassuming.

We would eat and talk and not stop talking until the town began to awaken. Our conversation would be easy because he would be compassionate and caring; humorous and smart.

He would be the mold for a great role model for children on and off the court. Young fans would learn from his style of play, like his ability to pass and shoot deftly with either hand. They would mimic his class and admire his drive.

Off the court, he would make time for the needy and bring comfort to the sick.

I would be proud of my brother; I'd tell him to write a great book.

And I would be honored to write the foreword.

Kobe Bryant
Los Angeles Lakers guard
Five-time NBA champion
Fifteen-time All-Star
All-time leading scorer in Lakers history

SI PUDIERA ESCOGER A MI HERMANO

Soy el menor de tres hijos. Siendo niñas mis dos hermanas mayores, hubo momentos en los que me hubiera gustado tener un hermano.

Si pudiera escoger un hermano hoy, poseería cualidades que lo hicieran un gran líder: calma ante la tormenta; control ante la adversidad y la confusión; sería equilibrado en sus acciones y sabio en su forma de entender.

Y como yo, jugaría en la NBA.

Tendría el mayor nivel de inteligencia dentro de la pista de la liga y jugaría con versatilidad y tenacidad. Podríamos cansarnos de buscar y nunca encontraríamos un jugador como él en la historia de este deporte con sus habilidades.

También sería un jugador elegante, pero a su vez duro. Enfrentándose a los juegos interiores más duros él sólo, no recularía.

Y si su equipo le fallara, mantendría la cabeza bien alta. Seguiría trabajando duro cada día y esforzándose al máximo. No dejando que la situación afectara su entrega, o cambiara su forma de ser.

Ambos enfrentaríamos la adversidad en nuestra profesión, así que hablaríamos de nuestras vidas y carreras, de las presiones de nuestra posición. Nuestra unión se vería fortalecida por la confianza y el apego que sólo dos hermanos pueden compartir.

Viajaríamos a los Juegos Olímpicos en Barcelona y cenaríamos juntos en un pequeño restaurante, muy parecido a su carácter: humilde, modesto, sorprendente.

Y hablaríamos horas y horas hasta que la ciudad volviera a despertar. La conversación sería fácil y amena porque él sería compasivo y solidario; con humor e inteligente.

Sería el molde perfecto para dar ejemplo a los más jóvenes dentro y fuera de las pistas. Los adolescentes aprenderían de su estilo de juego, y de su generosidad pasando el balón o su habilidad de utilizar las dos manos al tirar a canasta. Imitarían su juego lleno de clase y admirarían su determinación.

Y fuera de la pista buscaría el tiempo para dedicar a los más necesitados, y trataría de mitigar el dolor de los que sufren.

Y yo estaría orgulloso de mi hermano, y le diría que escribiera un libro.

Y sería para mi un honor escribir el prefacio.

Kobe Bryant
Escolta de Los Angeles Lakers
Cinco veces campeón de la NBA
Quince veces All Star
Máximo anotador de todos los tiempos en la historia de los Lakers

A FRIEND FOR A LIFETIME

The first time I met Pau Gasol, we were teenage boys pursuing a dream.

I had been playing for FC Barcelona since I was twelve years old. When I was sixteen, Pau joined the team as the new kid. He carried a low profile and rarely opened up to the rest of the guys.

But everything changed as we began to establish a trust on the court that carried over to our friendship. Born just twenty-three days apart, we grew up together on and off the court. I soon found him to be so easy going and fun. He rarely complained and always stayed positive.

In the summer of 1998, we played together on the Spanish junior national team that won the Under-18 European championship. A year later, we defeated the United States' junior national team at the Under-19 World Championships. We were dubbed the "The Golden Generation" of Spanish basketball.

He became one of my best friends.

A little later, in 2001, Pau went on to play in the NBA and I continued my career with FC Barcelona. We were reunited in 2007 when I jumped to the NBA by signing with the Memphis Grizzlies. It was a very different year for me. I missed Barcelona greatly, but Pau helped me a lot to adapt professionally and personally.

And his play on the court was just as I remembered: he was extremely athletic, with very good tactical skills and great fundamentals, and a disciplined worker. He's a good shooter, good dribbler, good passer, and a good decision maker during the entire game. He is just an extraordinary basketball player.

But in this book, you will not learn about his basketball skills. With Pau, what you see is what you get. And you will see he is a calm person with common interests just like everybody else. His life follows a very simple daily routine where he tries to surround himself with positive people and enjoy the rewards in the little things.

When he discovered he could play an influential role in the lives of others, the devotion and interest in helping more disadvantaged people transformed him positively.

I have witnessed this evolution through the years, and he is no longer just the golden boy I played basketball with. He's been able to reach a much bigger dimension. He walks amongst giants—a Golden Generation of Men—who will leave a lasting footprint on this earth because of his humanity and his heart.

Your friend for a lifetime,

Juan Carlos Navarro
FC Barcelona guard
Two-time Silver Olympic medalist in basketball
Seven-time All-Euroleague Team honors
2010 European Player of the Year

UN AMIGO PARA TODA LA VIDA

Cuando Pau y yo nos conocimos, éramos adolescentes persiguiendo un sueño.

Yo había estado jugando para el FC Barcelona desde que tenía doce años. Cuando teníamos dieciséis, Pau llegó al equipo como el nuevo. Era bastante reservado y raramente se abría a los compañeros.

Pero las cosas cambiaron rápidamente cuando empezamos a entablar una confianza dentro de la pista que trasladamos a la amistad personal. Los veintitrés días que nos separan en cuanto a nuestras fechas de nacimiento nos llevó a crecer muy juntos tanto dentro como fuera de la pista. Pronto descubrí al verdadero Pau, sencillo y divertido. Alguien positivo que raramente se quejaba de nada.

En el verano de 1998, jugamos juntos en la selección española en el Campeonato de Europa sub-18, del que fuimos campeones. Un año más tarde, derrotábamos de manera inapelable a la selección americana júnior en el Campeonato del Mundo sub-19. Nos habíamos convertido en la generación de oro del baloncesto español.

Para entonces ya éramos grandes amigos.

Poco más tarde, en el 2001, Pau se fue a la NBA mientras que yo seguía una muy buena carrera en el FC Barcelona. Y en el 2007 nos volvimos a encontrar para jugar juntos en los Memphis Grizzlies de la NBA, equipo por el que firmé en ese verano. Fue un año diferente. Eché mucho de menos Barcelona, pero Pau me ayudó mucho en mi adaptación profesional y personal.

Y su juego seguía siendo tal y como yo lo recordaba: tremendamente atlético, extraordinariamente talentoso técnicamente, y disciplinado y brillante tácticamente. Buen tirador, buen driblador, buen pasador, y acertado en la toma de decisiones en la mayoría de los casos durante el partido. Es un extraordinario jugador de baloncesto.

Pero en este libro no vais a aprender de baloncesto, ni sobre su talento en la pista. Con Pau, ves siempre lo que hay. Una persona tranquila, sencilla, con intereses comunes a los que podamos tener cualquiera de nosotros. Su vida sigue una rutina muy sencilla en la que el denominador común es que trata de rodearse de gente positiva y disfrutar de las recompensas del día a día.

Una vez que descubrió que podía jugar un papel importante en la vida de otras personas, la devoción y el interés por ayudar a gente en peores situaciones le transformó positivamente.

He sido testigo de la evolución de Pau a lo largo de todos estos años, y ya no se trata únicamente de uno de aquellos chicos de oro de nuestra generación. Se trata de una persona de una dimensión mucho mayor. Un gigante en la Generación de Oro. Un gigante como persona, que está destinado a dejar una huella para siempre, por su humanidad y por su corazón.

Tu amigo para siempre.

Juan Carlos Navarro
Escolta del FC Barcelona
Dos veces Plata Olímpica
Siete veces en el equipo ideal de la Euroliga
Jugador del Año en Europa en el 2010

INTRODUCTION
INTRODUCCIÓN

INTRODUCTION

The inner circle of my life is small. I can count on one hand my trusted friends. That's it. It's very difficult for me to open the doors of my life. I am an intensely private and closely guarded person whose life is wonderfully fulfilled by family and a few close friendships.

So it is rare that a new face enters my world.

I first met Lori Shepler in March 2008 after the Memphis Grizzlies traded me to the Los Angeles Lakers midway through the season. She was a staff photographer at the Los Angeles Times, who introduced me to the newspaper's readers and basketball fans through a series of photographs and interviews away from the game. During these interactions, I was instantly drawn to her energy and vibe. Pretty soon, I found my inner circle had expanded.

Two years into our friendship, Lori proposed a book project, one that offered an intimate look at my life off the court. It would be different from any sports book out there, she said, and would appeal to more than just basketball fans.

I pondered the proposal for about a week, with many questions swirling through my head. Is this something I want to be involved in? Will I even have time? Will it be fun? Will it interfere with my basketball?

INTRODUCCIÓN

Mi círculo más cercano es muy pequeño. Puedo contar con los dedos de una mano mis amigos de confianza. No hay más. Me es muy difícil abrirles las puertas de mi vida. Soy una persona introvertida y me gusta cubrirme las espaldas, ya que mi vida está maravillosamente completa con mi familia y mis amistades más cercanas.

Así que es raro que una cara nueva entre en mi mundo.

Conocí a Lori Shepler en marzo del 2008, después de que Memphis me traspasara a mitad de temporada. Ella trabajaba como fotógrafa en el Los Angeles Times, y me dio a conocer entre los lectores del periódico y los aficionados de baloncesto a través de una serie de fotografías y entrevistas fuera de las canchas. Fue durante estas interacciones cuando fui instantáneamente atraído por su energía y su forma de ser. Muy pronto, mi círculo se había expandido.

Después de dos años de amistad, Lori me propuso hacer un proyecto de libro, uno que ofreciera una visión íntima de mi vida fuera del deporte. Me dijo que sería diferente a cualquier libro deportivo, e interesante no solo para los aficionados al baloncesto.

Pensé en la propuesta alrededor de una semana, con muchas preguntas y dudas rondándome por la cabeza. ¿Es esto algo en lo que me quiera involucrar? ¿Tendré tiempo para ello? ¿Será divertido? ¿Interferirá en mi baloncesto?

Decidí confiar en Lori. Respeté su talento fotográfico, su ética de trabajo, y su ambición. Admiraba su pasión, sus ideas, y sus ideales.

Así que permití a Lori correr la cortina de los momentos más personales de mi vida y plantarse en el epicentro de mi mundo.

Ahora estamos aquí, cuatro años después, y miro el legado que estoy intentando construir, reflejado en fotografías y palabras.

Se ha convertido en justo lo que yo visionaba.

Este libro se ha hecho con la intención de inspirar, con toques educativos, no demasiado complicado, ni demasiado cargado. Al mismo tiempo, es entretenido y enriquecedor y va acompañado de muchas fotografías espléndidas.

Y aún mejor: todos los beneficios que genere este libro serán destinados a la Fundación Gasol, que he creado junto a mi hermano Marc con el sueño de enriquecer las vidas de niños y niñas alrededor del mundo.

Espero que disfrutes este libro tanto como yo lo he hecho con este viaje. Sin ti, no hubiera sido posible.

A vosotros, queridos amigos y amigas, bienvenidos a mi círculo.

Pau Gasol

FAMILY
FAMILIA

Grandmother, Marta; Barcelona, 2011

y family means everything to me. I am very attached to them. I would do anything for my family.

I have many good memories of my childhood, and most of them involve my family. Seeing my two brothers born and being a big brother are highlights in my life. We always took summer trips together. We went camping a lot when we were younger.

My parents always made sure that they came to every game that we played from the beginning, since we were seven years old. They wouldn't miss one game. If Marc and I had games at the same time, my mom would go with one and my dad with the other.

I share very special bonds with my grandparents, my parents, and the only brother that my parents have, which is my mom's brother, with his wife and their two children. That's pretty much the size of my family.

stoy muy unido a mi familia. Lo significan todo para mí. Haría cualquier cosa por mi familia.

Tengo muchos recuerdos buenos de mi infancia y la mayoría de ellos son de momentos compartidos con mi familia. Ver a mis dos hermanos nacer y ser el hermano mayor son de las cosas más importantes de mi vida. Nos íbamos de viaje juntos cada verano. Íbamos mucho de camping cuando éramos pequeños.

Mis padres vinieron a ver nuestros partidos siempre, desde el primer día, desde que teníamos siete años. No se perdían ni un solo partido. Si Marc y yo jugábamos en dos lugares diferentes a la misma hora, mi madre iba a uno de los dos partidos y mi padre asistía al otro.

Comparto lazos muy especiales con mis abuelos, mis padres, con el único hermano que mis padres tienen, que es el hermano de mi madre, con su mujer y sus dos hijos. Ese es el tamaño de mi familia directa.

Grandmother, Marta; Barcelona, 2011

Marc, 2; Mother, Marisa; Pau, 6; Barcelona, Easter 1987

We've always been a supportive, loving, and caring family and we always have nice family get-togethers.

I am very appreciative to have the family that I grew up with because there are a lot of families that don't have the same good luck.

There's nothing like a true and united family. They're always going to be there for me and I am always going to be there for them.

When I began my adventure in America with the NBA, my parents quit their jobs and my brothers transferred schools. Everyone moved to a different continent across the ocean in order to keep the family together and accompany me. I am truly blessed.

Siempre hemos sido una familia cercana y cariñosa, y nos hemos apoyado los unos a los otros. También solíamos tener cenas familiares en las cuales nos reuníamos todos.

Me siento muy agradecido de haber tenido la familia con la que he crecido porque hay muchas familias que no tienen la misma suerte.

No hay nada como una familia unida y verdadera. Siempre van a estar ahí si los necesito y yo voy a estar ahí por ellos. Soy muy afortunado.

Cuando comenzó mi aventura en Estados Unidos en la NBA, mis padres dejaron su trabajo y mis hermanos vinieron y cambiaron de colegio. Todos hicieron esfuerzos y sacrificios para venir juntos al otro lado del océano para poder seguir juntos. Me siento verdaderamente afortunado.

Brother, Adrià; Redondo Beach, 2012

Growing up, I was very skinny. I was always the tallest kid in class, and we know how kids like to pick on each other about something.

I always stood out—and it was tiring to continually hear "how tall are you?" or "you are too skinny."

I grew up with everybody staring at me for being different.

De pequeño, yo era muy delgado. Siempre fui el chico más alto de la clase, y ya sabemos cómo les gusta a los niños meterse los unos con los otros por cualquier cosa.

Siempre destacaba por la altura y era cansino escuchar continuamente: «¿Cuánto mides?» o «Eres muy delgadito».

Crecí con la continua mirada de la gente por ser diferente.

Father, Agustí; Redondo Beach, California, 2012

Brother, Marc; Palau Blaugrana, Barcelona, 2011

One day, while others were picking on me, an older guy who was in good shape told me: "Don't worry about your physique now. You'll grow stronger and you will develop. Just continue to be who you are and don't listen to anyone that tells you different."

That was a boost and a good positive message for me because I knew I had to be patient and that I should continue to work.

My body developed, maturing a little later than everybody else's, and continued to grow until I was twenty. Other kids were fully grown by the time they were fifteen, sixteen.

Later on, I realized that, thanks to my height, my talent, and my will to work, I was able to achieve so many things. I feel very fortunate to be this tall. It has provided me a huge opportunity to become a great basketball player.

Un día, un chico mayor que yo que estaba fuerte físicamente me dijo: «No te preocupes por tu físico ahora. Te pondrás más fuerte y tu cuerpo se desarrollará. Continúa siendo tú mismo y no escuches a quien te diga lo contrario».

Ese fue un mensaje positivo para mí porque sabía que tenía que tener paciencia y debía continuar trabajando.

Mi cuerpo se desarrolló, maduró un poco más tarde que los demás y continuó creciendo hasta que tuve veinte años. Otros chicos habían dejado de crecer y estaban completamente desarrollados cuando tenían quince, dieciséis años.

Más tarde, me di cuenta de que, gracias a mi altura, mi talento y mi voluntad de trabajo, fui capaz de conseguir muchas cosas. Me siento muy afortunado de ser así de alto, me ha dado la oportunidad de convertirme en un gran jugador de baloncesto.

Age 10

Top left, age 4; top right, age 6; Grandmother Lluisa, Grandfather Vicenç.

I was always a very competitive and ambitious kid; I consistently set high goals for myself. I just wanted to do everything well, like playing the piano, sports, and grades at school.

When I played with Marc, I always tried to beat him, whether we played video games, Ping-Pong, cards, basketball…anything.

When I was sixteen and he was twelve, I beat him at Ping-Pong. I rubbed it in: "You can't beat me. I'm too good. I'm the big brother." He threw the paddle at me. He actually hit me in the head. Bad temper! Luckily, our parents, being in the medical field, could take care of these incidents without having to take us to the clinic.

I never let him win. I never let anybody win. I wouldn't let my grandparents win, because I got upset whenever I lost.

Siempre fui un niño muy competitivo y ambicioso, constantemente me marcaba objetivos a corto plazo. Quería hacer todo bien, como tocar el piano, los deportes y las notas en el colegio.

Cuando jugaba con Marc, siempre intentaba ganarle. Daba igual a lo que jugáramos, ya podía ser videojuegos, ping-pong, cartas, baloncesto… cualquier cosa.

Cuando yo tenía dieciséis años y él doce, recuerdo una partida de ping-pong que le gané. Le vacilé. «No puedes ganarme. Soy demasiado bueno. Soy el hermano mayor». Me lanzó la raqueta. De hecho me dio en la cabeza. Vaya carácter. Afortunadamente nuestros padres, ambos trabajando en el campo de la medicina, podían atendernos cuando sucedían incidentes como ese sin tener que ir a la enfermería.

Nunca le dejaba ganar. Nunca dejo ganar a nadie. No dejaba ganar ni a mis abuelos porque me enfadaba cuando perdía.

Brother, Marc; Palau Blaugrana, Barcelona, 2011

Marc's growth and development in the past twelve years has been just remarkable. The self-discipline and commitment that he has shown have been essential factors in his success.

I try to guide him a little bit. We usually have regular contact during the season, because it's only in the summer that we can spend more time together.

We are different from each other. I'm more cerebral. He's more emotional and instinctive. At times, I offer him advice for specific situations if he asks me. I try to make him think. He, like everyone else, has to make his own decisions. All I can do is give him my perspective.

But the three of us, including my youngest brother, Adrià, all strive to do our best.

El crecimiento y desarrollo de Marc en los últimos doce años ha sido espectacular. La autodisciplina y el compromiso que ha demostrado han sido factores esenciales para él.

Intento guiarle un poco. Solemos tener un contacto regular durante la temporada, aunque es en verano cuando podemos pasar más tiempo juntos.

Somos diferentes. Yo soy más cerebral. Él es más visceral, instintivo. A veces, le ofrezco consejo sobre situaciones específicas si que él me lo pida. Intento hacerle pensar. Él, como todos los demás, tiene que tomar sus propias decisiones. Todo lo que puedo hacer es darle mi punto de vista.

Pero somos tres hermanos. Y con mi hermano más pequeño incluido, Adrià, intentamos dar lo mejor de nosotros.

Brother, Marc; Barcelona, 2011

Rufus; Los Angeles, 2011

I have a soft spot for animals. My favorite are dogs and horses. I feel a special connection with them, and I could spend hours just sitting by them or petting them. They fill me with happiness and serenity. I feel I can communicate with them through my behavior, by taking care of them, and by letting them know they can trust me and feel comfortable with me— all without the need for words.

Siento un gran afecto hacia los animales. Mis dos animales favoritos son los perros y los caballos. Tengo una conexión especial con ellos. Podría pasarme horas sentado junto a ellos o acariciándolos. Me llenan de felicidad y me transmiten mucha serenidad. Sin necesidad de palabras, siento que puedo comunicarme con ellos a través de mi comportamiento; cuidándolos y transmitiendo que soy alguien en el que pueden confiar y se pueden sentir cómodos conmigo.

Uncle, Fernando; Los Angeles, 2011

I was always very sporty and enjoyed doing a lot of activities. I would love to play any sport, and I did it with a certain ease. That gave me confidence. Obviously, when you succeed at things and see that they work for you, it helps to boost your confidence, so then you try to do more things and work to be better at them.

Siempre me han encantado los deportes y disfrutaba haciendo muchas actividades. Me encantaba jugar a cualquier deporte, tenía cierta facilidad para ello. Eso me daba confianza. Obviamente, cuando las cosas te salen bien, te ayuda a aumentar tu confianza y te anima a intentar hacer más cosas y a trabajar para ser mejor en ellas.

18

Mother, Marisa; Los Angeles, 2013

With the family I have, the education that I received, the opportunities that were afforded to me, I've been extremely fortunate in life. I have a loving and caring family; every single day I'm thankful for them.

La familia que tengo, la educación que he recibido, las oportunidades que se me han presentado, he sido extremadamente afortunado en mi vida. Tengo una familia cercana de la que me siento orgulloso; cada día doy las gracias por ella.

BASKETBALL
BALONCESTO

Brother, Marc; Staples Center, Los Angeles, 2012

My earliest recollection of basketball was watching my dad play. I remember being really young, around four years old, and going to watch his games on the weekends. I got into it and wanted to do what my dad was doing. I spent a lot of time playing basketball with my dad and my brother, Marc. There are four and a half years between Marc and me. That's a pretty big difference when you're thirteen and your brother is eight. But Marc and I have always been very competitive with each other. We would play spot shooting games, similar to horse. He beat me from time to time. As Marc grew older, our bodies got a little closer in size. We would play one-on-one, but he didn't have a chance against me until later, when he was twenty or twenty-one. I never let him win because first, I always wanted him to know who was the big brother; and second, I don't like losing at anything.

Mi primer recuerdo de baloncesto es ver jugar a mi padre. Recuerdo que era muy pequeño, debía tener unos cuatro años, e íbamos a ver sus partidos los fines de semana. Me empezó a atraer y quería hacer lo que mi padre hacía. Pasaba mucho tiempo jugando a baloncesto con mi padre y con mi hermano, Marc. Entre Marc y yo hay cuatro años y medio de diferencia. Era un margen bastante grande cuando yo tenía trece años y él ocho. Pero Marc y yo siempre fuimos muy competitivos entre nosotros. Jugábamos a concursos de tiro, muchos veintiunos. Posiblemente alguna vez me habría ganado. A medida que Marc se hizo mayor, ya no existía tanta diferencia física. Jugábamos unos contra uno; no empezó a tener opciones hasta más adelante, cuando tendría unos veinte o veintiún años. Nunca le dejé ganar porque, primero, siempre quería que supiera quién era el hermano mayor; y, segundo, no me gusta perder a nada.

There were a couple of teachers and coaches who were surprised with my confidence and were certain I was going to become a professional basketball player.

I was careful and cautious, but I had a certain trust in myself that I could do it and it was something that I was hoping to accomplish one day.

I worked hard and made it to the Spanish national team, played for FC Barcelona, and then got drafted to play in the NBA.

Tuve un par de profesores y entrenadores que estaban sorprendidos de mi confianza y estaban seguros de que me iba a convertir en jugador de baloncesto profesional. No recuerdo tener ese nivel de confianza; creo que siempre fui cuidadoso y precavido.

Pero tenía una cierta seguridad de que podía conseguirlo y que era algo que esperaba alcanzar algún día.

Trabajé duro y llegué a la selección nacional, jugué para el primer equipo del F. C. Barcelona y posteriormente fui seleccionado para jugar en la NBA.

Oracle Arena, Oakland, California, 2011

Oracle Arena, Oakland, California, 2011

Madrid, 2011

On the Spanish national team, we all make the same amount of money. We aren't there for the money. We're playing for our country, we are defending our country. We have our entire country supporting us as one team, with the name of our nation on our chests.

In the NBA, it's very different. Players have all kinds of different contracts and situations, the schedule is very intense and demanding, and insecurity always looms because of the constant possibility of being traded. Only one or two players on each team get to stay more than five years on the same team. It's part of the business, but makes it hard for players and fans to identify themselves with franchises and rosters.

With the Spanish national team, we have one month to prepare for the championship. Then we play for two to three weeks toward winning the championship. We spend a lot of time during that period doing things together. We always say that we are a group of friends who happen to play basketball.

En la selección nacional, todos recibimos la misma cantidad de dinero por estar en el equipo. No estamos ahí por el dinero. Jugamos por nuestro país; por todas las personas que nos apoyan y se identifican con nosotros.

En la NBA, es muy diferente. Los jugadores están en situaciones y contratos muy dispares. El calendario es muy intenso y exigente. También acecha la inseguridad de la constante posibilidad de ser traspasado. Solo uno o dos jugadores por equipo llegan a estar más de cinco años en ese mismo equipo. Es parte de nuestra profesión pero hace difícil que tanto jugadores como aficionados se identifiquen con sus franquicias y plantillas.

Con la selección nacional de España, tenemos un mes para prepararnos para el campeonato. Luego jugamos para ganarlo en otras dos o tres semanas. Durante ese periodo, pasamos mucho tiempo haciendo cosas juntos. Siempre

In the NBA, it's a different scenario with different circumstances. But in order for a team to achieve success, we must develop a sense of family, a brotherhood amongst our teammates. The season is a marathon. Having the feeling that we are in this together, that we're fighting for each other, and we have each other's backs makes a huge difference, especially when the team faces adversity, which is an inevitable fact for every franchise during the season.

That kind of bond is a lot easier to accomplish in a month and a half than in a seven- to nine-month NBA season, but in both cases, the development of unity and chemistry always is key.

En la NBA, hay un panorama diferente con circunstancias diferentes. Pero es importante, para que un equipo tenga éxito, desarrollar un sensación de familia, una hermandad entre compañeros. La temporada es un maratón y el sentimiento de que estamos en esto juntos, que luchamos los unos por los otros y que pase lo que pase tenemos el apoyo del compañero, marca una gran diferencia, especialmente cuando el equipo se enfrenta a la adversidad, un hecho inevitable para cada plantilla durante la temporada.

Es mucho más fácil conseguirlo en un mes y medio que en una temporada de NBA de entre siete a nueve meses. Pero en ambos casos el desarrollo de la química y la unidad siempre será clave.

Staples Center, Los Angeles, 2011

Staples Center, Los Angeles, 2011

When I got traded from the Memphis Grizzlies to the Los Angeles Lakers, I saw it as an amazing opportunity for me as an NBA player. A door had opened for me to reach my ultimate goal: to win an NBA championship.

From the moment I landed in Los Angeles, the message to me was clear: "Welcome to the Lakers, we are happy to have you, now let's get that ring." Both Magic Johnson and Kobe Bryant were very clear about that message.

I thought to myself: "With this team, we can do it. I will do everything in my power to help this team win the championship."

Cuando fui traspasado de los Memphis Grizzlies a Los Angeles, lo vi como una enorme oportunidad como jugador de la NBA. Una puerta se había abierto ante mí para alcanzar mi gran meta, ganar el campeonato de la NBA.

Desde el primer día que aterricé en Los Ángeles, el mensaje que recibí era claro: «Bienvenido a los Lakers, somos felices de tenerte, ahora a por el anillo». Magic y Kobe fueron muy claros acerca de ese mensaje.

Me dije a mí mismo: "Con este equipo, podemos conseguirlo. Haré todo lo que esté en mi mano para ayudar a este equipo a ganar el campeonato."

Staples Center, Los Angeles, 2011

My routine on game day is pretty consistent. It only changes if the game time goes from a night to an afternoon game. I usually get to the gym at 9:30 a.m. Depending on my physical status, I do treatment or some sort of exercise to get my body going. Then the team sits through a video session to watch clips of the opponent we're about to face. We follow the video session up with a light practice. We shoot around and go through our plays and some of their plays. I come back home and eat my pre-game meal. It's always pasta and chicken—grilled or baked. I relax by watching TV or reading a book, then lie down to take an hour-long nap. I get up, get dressed, and go to the game.

Los Angeles, 2011

Mi rutina en un día de partido raramente varía. Solo cambiaría si la hora del partido pasa de la tarde al mediodía. Normalmente llego al pabellón a las 9:30 de la mañana. Dependiendo de cómo esté físicamente, haría tratamiento o algunos ejercicios para ayudar a poner en marcha mi cuerpo. Después tenemos sesión de vídeo, viendo jugadas del equipo al que nos vamos a enfrentar, seguido de un entrenamiento ligero. Hacemos un poco de tiro y repasamos nuestras jugadas y algunas de las del equipo rival. Vuelvo a casa y como mi habitual comida prepartido. Siempre un plato de pasta y, de segundo, pollo, ya sea a la plancha o al horno. Luego me relajo viendo la televisión o leyendo un libro, hasta tumbarme y echarme una siesta de una hora. Me levanto, me visto, y me voy al partido.

At the beginning of each season, the professional basketball teams that I play for in America and in Spain put us through a battery of tests to make sure we are in top shape.

They conduct a complete blood panel, internal exam, chest x-ray, stress echo, orthopedic exam, and any radiology that is necessary, such as CAT scan, MRI, ultrasound.

They want to make sure we are healthy and if anything is wrong, to catch it in time. It's very important and very necessary.

Al inicio de cada temporada, los equipos profesionales para los que juego en Estados Unidos y en España nos ponen a prueba en una serie de test, para comprobar que estamos en plena forma.

Hacemos un examen médico muy completo: análisis de sangre, examen de órganos y medicina interna, radiografía de tórax, ecografía de estrés, y cualquier prueba de resonancia magnética, ecografía u otras que hagan falta.

Necesitan asegurarse de que estamos en perfectas condiciones físicas a todos los niveles, y, si hay alguna duda, poder solucionar el problema a tiempo. Es importante y necesario en el protocolo del equipo.

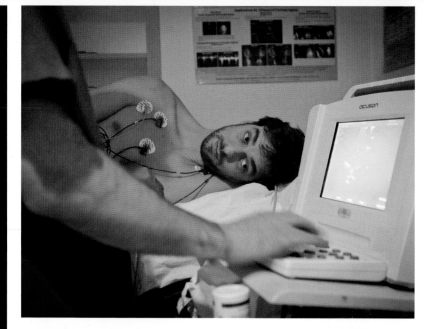

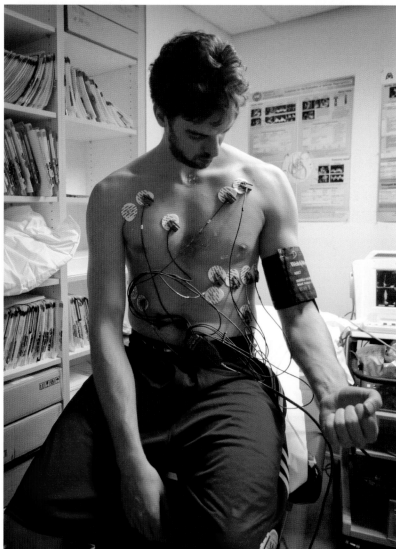

Los Angeles, 2012

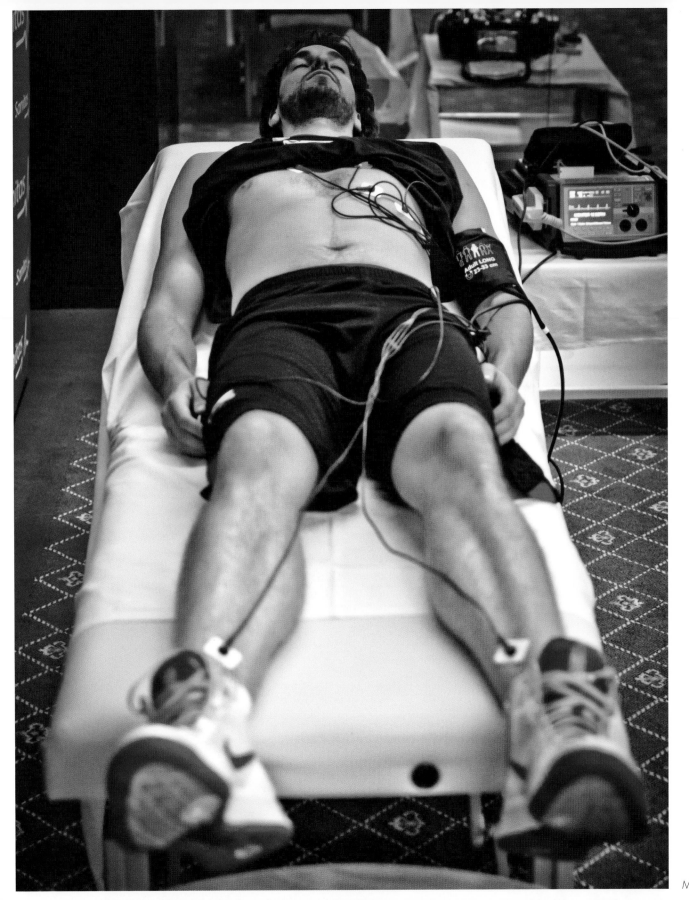

Madrid, 2011

My mindset going into every game is to give my best effort. With prior mental preparation and visualization, I try hard to do what I can to help my team beat our opponent. I'm not always going to succeed—that's part of sports and life—but as long as I know I played hard and I tried, I'm okay with it.

If I finish the game and I know I haven't played as hard as I can—it has happened—I have to examine what's going on with me. Maybe there's something that I'm not catching or understanding. Focus and self-awareness are always very important for me in order to play at my best.

Injuries are a part of the game, and for the most part, they can be pretty limiting. It's crucial for me to take care of my body and stay on top of the different aches that come up during the long season.

Mi mentalidad para cada partido es dar lo mejor de mí. Con anterior preparación mental y visualización, intentaré hacer lo que pueda para ayudar a mi equipo a batir al contrincante. No siempre lo voy a conseguir, eso es parte del deporte y la vida, pero mientras sepa que he jugado duro y lo intenté, lo aceptaré mejor.

Si termino el partido y sé que no he jugado con la intensidad con la que habitualmente juego—y eso ha sucedido—tengo que examinar qué está pasando conmigo. A lo mejor hay algo que se me está escapando o que no estoy entendiendo. Concentración y autoconocimiento son siempre muy importantes para que pueda jugar a mi mejor nivel.

Las lesiones son parte del juego, y en la gran mayoría pueden ser bastante limitantes. Es crucial para mí cuidar mi cuerpo y estar pendiente de las diferentes molestias que surgen durante la larga temporada.

People are going to say what they want to say. That's inevitable. I can't be conditioned by people's opinions. I have to critique myself and know when I've done well and know when I could have done better; know when I played hard and know when I could have played harder.

Basketball has opened so many doors for me. It has provided an opportunity that goes way beyond sports. I can make a positive impact on the lives of others.

I am a role model, and there are kids from all over the world who follow me and pay attention to my actions.

It's a responsibility that I take a lot of pride in. I have to be careful and conscientious of what I do and what I don't do. I am human and I'm going to make choices that aren't the best at times. But in the long run, I want to make a lot of positive things happen—not just for myself, but for others.

Las personas van a opinar lo que les parezca o apetezca. Eso es inevitable. No me pueden condicionar las opiniones de la gente. Tengo que ser crítico conmigo mismo y saber cuándo lo he hecho bien y cuando lo podría haber hecho mejor; saber cuándo he jugado duro y cuándo podría haber jugado más duro.

El baloncesto me ha abierto muchas puertas. Me ha dado una oportunidad que va más allá del deporte. Puedo tener un impacto positivo en la vida de los demás.

Soy un ejemplo para muchos, y hay niños y niñas de diferentes partes del mundo que me siguen y prestan atención a mis acciones.

Es una responsabilidad de la que me enorgullezco. Tengo que tener cuidado y ser consciente de lo que hago y de lo que dejo de hacer. Soy humano y voy a tomar decisiones que no son siempre acertadas. Pero, a la larga, quiero conseguir que muchas cosas positivas sucedan—no para mí, sino para los demás.

Madrid, 2011

Basketball definitely continues to be one of the best things in my life.

El baloncesto sin duda sigue siendo una de las mejores cosas de mi vida.

MUSIC MÚSICA

Barcelona, 2011

Los Angeles, 2010

I began playing the piano when I was eight and always enjoyed my weekly lesson. I learned about the notes and tones, and I studied the pentagrams where the notes would go. Music helped my voice and the piano lessons also helped develop my overall appreciation for music. That's where my hobby of singing started.

Empecé a tocar el piano cuando tenía ocho años. Disfrutaba de mi clase semanal. Aprendí las notas y la entonación. Estudié los pentagramas donde las notas irían. Creo que eso ayudó a mi voz y a desarrollar mi aprecio por la música. Ahí empezó también mi afición a cantar.

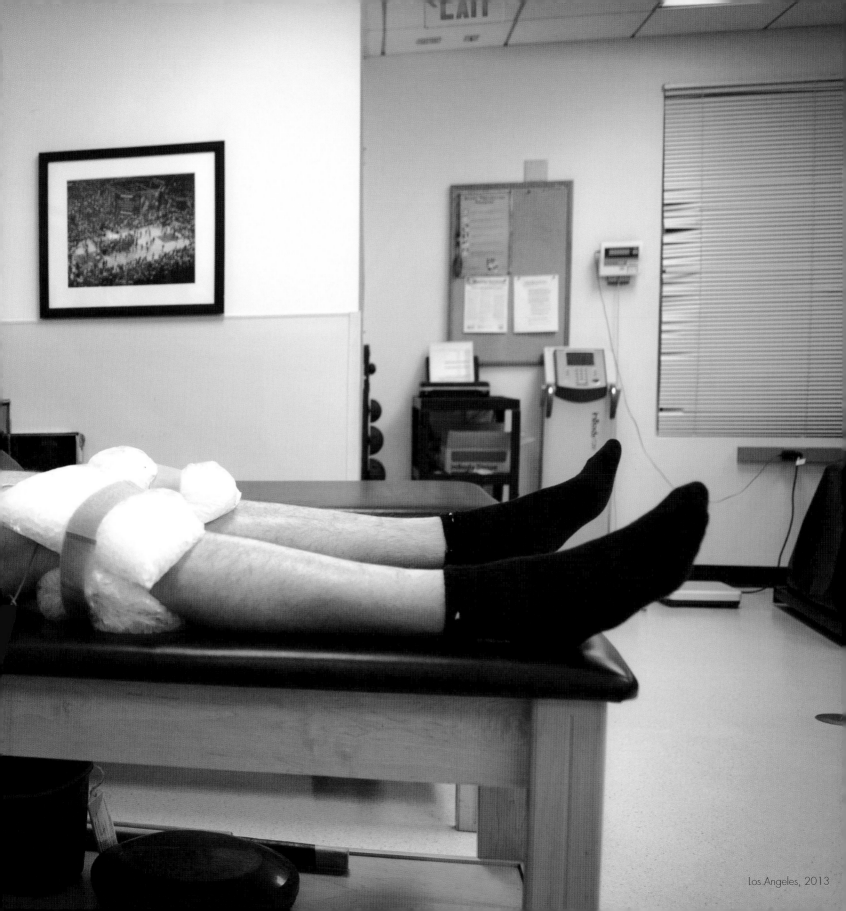

Los Angeles, 2013

Barcelona, 2010

There's always a time and a place to enjoy a certain type of music.

When I want to relax, I just listen to some classical. Then I can change it up by enjoying some rap. There are moments when I just feel like dancing a little salsa or just goofing around while some Latin music is playing in the background.

I love to see people go crazy and be totally immersed in the music of the artists and bands that they love. They're just blown away in the moment; their minds and bodies are nowhere else. Music is that powerful.

Siempre hay un momento y un lugar para disfrutar de un cierto tipo de música.

Hay veces que quiero relajarme y escucharía música clásica. También puedo cambiar de tercio y disfrutar con un poco de rap. Hay momentos en los que de repente me apetece bailar un poco de salsa, aunque no soy ningún experto, o pasármelo bien mientras suena alguna canción con ritmo latino.

Me encanta ver a la gente enloquecer y estar totalmente inmersos en la música de sus cantantes y grupos favoritos. Están completamente alucinados por el momento en el que se encuentran. Sus mentes y sus cuerpos no están en ninguna otra parte. La música es así de poderosa.

Los Angeles, 2010

I enjoy singing. I find myself singing during certain moments of the day, usually when I'm in a good mood. I typically sing in the shower, but that's not the only place. At certain times, songs just simply pop up. Since I have a pretty good memory and can recall the words of the songs I like, I start to sing spontaneously. It's a great calming sensation to me. I feel good.

Disfruto cantando. Me encuentro cantando en ciertos momentos del día, sobre todo cuando estoy de buen humor. Normalmente canto en la ducha, pero no es el único lugar donde lo hago. Las canciones me vienen a la cabeza en momentos inesperados, simplemente surgen. Y como tengo buena memoria para recordar las letras de las canciones que me gustan, empiezo a cantar. Es una sensación relajante. Me siento bien.

Silvia López; Los Angeles, 2010

Music, like sports, has a strong power. It creates a level of excitement that is unique. It moves masses. You can send a very important message in a song and it can live forever.

Music moves me. I embrace diferent kinds of music. One of them is opera. In addition to the theatrical interpretaton by the artists, I love the melody of it—even when I close my eyes, it captures me. I admire opera singers. They possess a great gift and, just like any other professional, they have to work very hard to achieve that level of singing and performing simultaneously.

It's a combination of magnificent art and outstanding talent. When I listen to opera, it's very relaxing and my mind is able to be transported somewhere else, away from my daily routine.

La música, como el deporte, tiene un gran poder. Crea un nivel de emoción que es único. Mueve a masas. Se puede enviar un mensaje muy importante en una canción que puede vivir para siempre.

La música me conmueve. Aprecio diferentes tipos de música. Uno de ellos es la ópera. Además de la interpretación teatral de los artistas, me encanta la melodía, que te atrapa si cierras los ojos. Admiro a los cantantes de ópera. Poseen un gran don y, como en cualquier otro campo profesional, tienen que trabajar muy duro para alcanzar ese nivel de canto y actuación simultáneamente.

Es una combinación de arte magnífico y talento espectacular. Cuando escucho una ópera, me resulta muy relajante. Mi mente puede ser transportada a otro lugar, lejos de mi rutina diaria.

Plácido Domingo; Dorothy Chandler Pavilion, Los Angeles, 2013

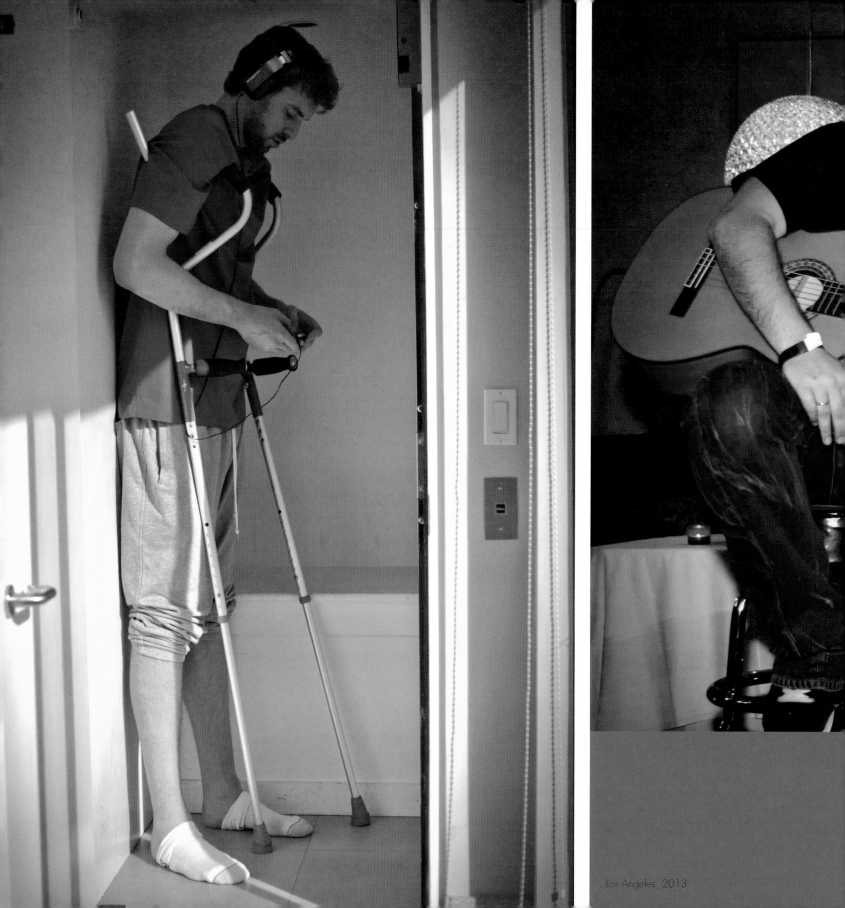

Los Angeles, 2013

Estopa, Sunset Marquis Hotel, Los Angeles, 2011

To me, one of the most important aspects of music is the ability to bring people together. Regardless of origin, culture, or religion, you can relate and connect with someone by sharing the same taste in music.

Para mí, uno de sus aspectos más importantes es la capacidad de unir a personas. Independientemente de su origen, su cultura o religión; puedes sentirte identificado o conectar con alguien por compartir el mismo gusto musical.

I've been told I don't sing too badly.
Me han dicho que no canto del todo mal.

FOOD COMIDA

Growing up, it was unusual if we didn't have dinner together as a family. We would wait for our mom to come home from work and we would all have dinner at our small table in the kitchen. My mom would cook and serve everyone. She didn't want us to wait for her because she said the food would get cold and she would eat later. If there was anything out of the ordinary that happened during the day, we would talk about it during dinner.

In Spain, we don't rush through meals. The food experience is a social activity. You talk, you laugh, you eat. And when you finish eating, you continue to sit and indulge in dessert or have an after-meal drink—a coffee, a cup of tea, or a cocktail. It doesn't have to be alcohol. But it's just a pleasant time you share with the people you are sitting with. You savor the moment and also the food.

De niño, era raro que no cenáramos en familia. Esperábamos a que nuestra madre volviera a casa de trabajar y cenábamos en la mesa de la cocina. Mi madre cocinaba y nos servía a todos. No quería que la comida se enfriara, así que muchas veces empezaba a comer un poco después que nosotros. Si había algo fuera de lo normal que hubiera pasado a lo largo del día, lo hablábamos durante la cena.

En España, no tenemos prisa en comer. El momento de comer es una actividad social. Hablas, ríes, comes. Y cuando acabas de comer, continúas sentado y disfrutas tu postre o tomas una bebida digestiva, un café, un té o una copa. No tiene por qué ser con alcohol. Pero es un momento placentero que compartes con las personas con las que estás sentado. Saboreas el momento al mismo tiempo que la comida.

Brother, Adrià; Redondo Beach, California, 2012

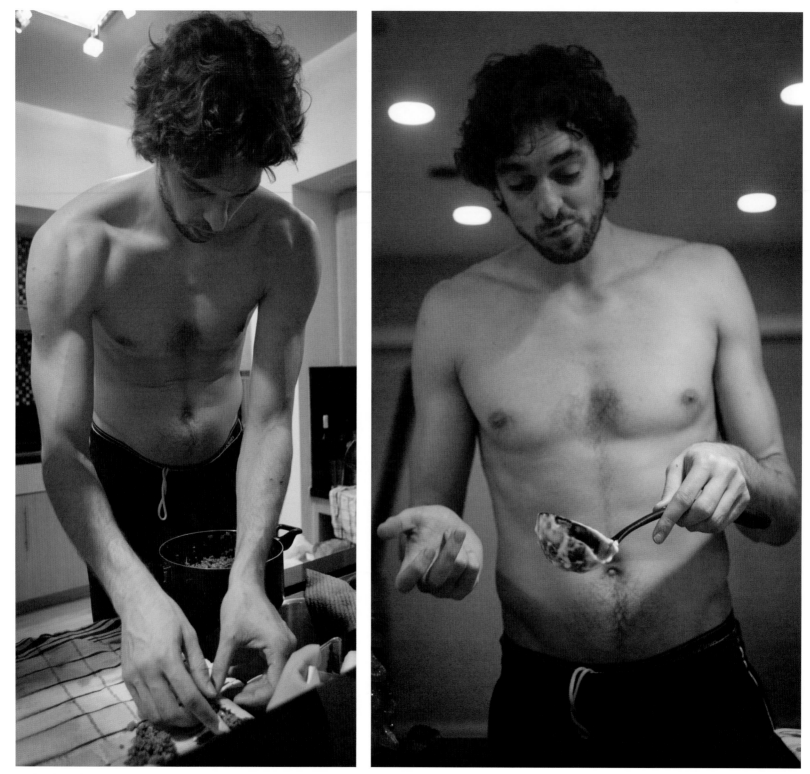

Los Angeles, 2011

Los Angeles, 2013

I can cook a few basic things. I can do eggs in any style. I can bake, grill, boil, barbecue, and fry pretty much anything.

Puedo cocinar algunas cosas sencillas. Los huevos los puedo hacer de cualquier forma. También puedo hervir, freír, hornear, cocinar a la plancha y a la barbacoa.

Barcelona, 2011

I also enjoy dining out. I've been fortunate to eat at many great restaurants, and I want to go to so many more. Eating is one of the best pleasures in life.

I would like to help introduce quality Spanish foods to America. One day, I'd like to be a part of a Spanish deli, maybe with a little kitchen that offers a couple of tapas dishes that people would love.

I also enjoy wines. Wine is a big thing in Spain. We were all raised having it around. There are so many wineries and wine regions. It's one of Spain's stamps on the world.

In restaurants, unless there is someone who knows about wine more than I do, I usually pick the wine.

Pero también me gusta comer fuera de casa. He tenido el placer de comer en grandes restaurantes y quiero ir a muchos más. Comer es uno de los grandes placeres de la vida.

Me gustaría ayudar a continuar introduciendo productos españoles de calidad en América. Un día, me gustaría formar parte de una tienda delicatessen, a lo mejor con una pequeña cocina que ofreciera algunas tapas y que la gente lo disfrutara.

También me gustan los vinos. El vino es algo muy importante en España. Todos hemos crecido teniéndolo alrededor. Hay muchísimas bodegas y regiones vinícolas. Es uno de nuestros sellos.

En los restaurantes, a no ser que haya alguien que sepa más que yo, soy el que normalmente escoge el vino.

San Francisco, California, 2011

Barcelona, 2011

The shellfish from Spain I love. The seafood is great. Percebes—they're a type of barnacle. You peel them a little bit and eat the bottom part. They actually grow on rocks in the north of Spain and they are very hard to get. I can eat half of a pound at one time. But like all shellfish, if you eat too much, it can give you gout, so I try to be moderate.

Lubina is a sea bass. In some restaurants, they cook them in the oven and cover them with sea salt—and it is delicious. You touch it with a little bit of olive oil. It melts in your mouth. It's amazing. And paella, when cooked right, it's one of my favorites. The saffron, the smooth texture of the rice, with the sensuous combination of condiments…it can be spectacular.

El marisco de España me encanta. Todo el pescado es muy bueno. Los percebes son todo un manjar. Los pelas y te comes la parte inferior, donde se encuentra la carne. Crecen en las rocas y son muy difíciles de coger. Crecen en la parte norte de España. Me puedo comer un kilo de ellos de una sentada. Pero como todo marisco, si comes demasiado te puede causar la gota, así que intento ser moderado.

La lubina es uno de mis pescados preferidos. En algunos restaurantes las cocinan envueltas en sal y al horno y están deliciosas. Le puedes echar un poco de aceite de oliva por encima, una vez servida en el plato, y se te derrite en la boca. Está increíble. Y la paella, cuando está bien hecha, es uno de mis platos favoritos. El azafrán, la textura del arroz, los condimentos adecuados. Está espectacular.

74

My grandmother's soup, I love. I want to learn how she does that soup—I always ask her to cook it when I visit her. She says: "It's summer, it's too hot, and it's going to make you sweat." But I say: "I don't care grandma, I just want it because it's so good and I always love it."

It's a soup that you cook by preparing a broth—chicken bones, beef, carrots, potatoes, and different vegetables. It's kind of like a chicken noodle soup, but with meatballs. My grandma makes the meatballs and throws them in there, and they absorb the flavor of the broth. It takes a whole morning or night to do, but it is just a bone stock that I love.

It's a traditional soup in Spain, but without a specific name. A lot of people cook it. They might put different vegetables, they might put different meats, but it is a pretty standard dish.

Yet, my grandma does it the best. Even if it's 100 degrees outside, I would still go to her house and want the soup in the middle of the summer.

"So what do you want to eat?" she always asks me when I visit.

"I want soup, grandma."

"Are you sure?"

"Yes!"

Even if I'm sweating—she doesn't have any air conditioning at her apartment. She has a fan that helps cool off the atmosphere. Still, I want the soup.

And always, I ask: "May I have more?"

Me encanta la sopa de mi abuela. Quiero aprender cómo cocina esa sopa que adoro y que siempre le pido que haga cuando voy a visitarla. Ella me dice: «Estamos en verano, hace mucho calor y te vas a poner a sudar si comes». Pero yo le respondo: «No me importa, abuela, quiero igualmente porque está muy buena y me encanta».

Es una sopa que se cocina preparando el caldo—pollo con sus huesos, ternera, zanahorias, patatas y otras verduras. Luego mi abuela le añade las albóndigas, que absorben todo el sabor del caldo. Tarda toda la noche anterior o toda la mañana en prepararla, y, además de muy nutritiva, está muy buena.

Es una sopa tradicional en España, pero no tiene un nombre específico. Mucha gente la cocina en casa. Le puedes añadir diferentes verduras o carnes diferentes, pero es un plato muy común.

Eso sí, mi abuela es la que mejor la cocina. Da igual que estemos por encima de los 30 °C. Siempre que la visito en verano, le pido que me prepare la sopa.

«¿Qué quieres comer?», siempre me pregunta cuando voy a verla.

«Quiero sopa, abuela».

«¿Estás seguro?».

«¡Sí!».

Aun cuando me hace sudar—en su piso no tiene aire acondicionado. Tiene un ventilador que ayuda a refrescar el ambiente. Sigo queriendo sopa.

Y siempre le acabo pidiendo: «¿Me puedes poner más?».

Los Angeles, California, 2012

VALUES
VALORES

My family has always been very humble. We were never arrogant and we never wasted anything. We learned to value everything we had and appreciate how fortunate we were to have it.

Siempre hemos sido una familia muy humilde Nunca fuimos arrogantes, no desaprovechábamos nada Aprendimos a valorar todo lo que teníamos y lo afortunados que éramos de tenerlo.

Cho Byuong-Su, Barcelona, 2011

Marty Weiss; Beverly Hills, California, 2010

We would wear clothes and shoes until they were worn out or would tear. We never threw anything away. It's very hard for me to throw anything away even today. I get attached to items and things. We couldn't get up from the table unless we finished our food, no matter if we liked it or not. Mom cooked it; we had to pay for that food and money was hard to earn, so we had to eat it.

Nos poníamos ropa y zapatillas hasta que ya estuvieran muy gastadas o se rompieran. Nunca se tiraba nada en casa. Aún hoy en día, me cuesta mucho tirar cosas que estén rotas o ya no utilice. Me encariño mucho con objetos y cosas. No podíamos levantarnos de la mesa si no nos habíamos acabado la comida, independientemente de si nos gustara o no. Nuestra madre lo cocinaba; la comida cuesta dinero; el dinero cuesta ganarlo, así que teníamos que comer lo que estuviera en el plato.

Los Angeles, 2011

My grandparents were the same way. They went through the civil war in Spain and there were times they had no food on the table. They went through the dictatorship of Francisco Franco, so they taught us to value everything we had. That education I received helps me manage all the success I've reached today.

Mis abuelos eran de la misma manera. Vivieron, al igual que tantos otros de su generación, la guerra civil en España y había veces que no tenían comida para llevarse a la boca. Tanto ellos como mis padres vivieron la dictadura de Franco, así que nos enseñaron a valorar todo lo que hemos tenido. La educación que he recibido me ayuda a gestionar el éxito que he alcanzado.

Grandmother, Marta; Barcelona, 2011

Having your feet on the ground is key to one's well being, as is always staying connected to who you truly are, regardless of how high or how low you might find yourself.

Being raised by my family in the surroundings that I grew up in, I was able to absorb all those different values. It definitely shaped the person I am today.

Hermosa Beach, California, 2010

Tener los pies en el suelo y ser siempre consciente de quién eres en el fondo, con independencia de lo alto o lo bajo que puedas encontrarte, son claves para tu propio bienestar.

Criarme en mi familia, en el entorno y circunstancias en que lo hice, me ha hecho capaz de absorber todos esos diferentes valores. Sin duda, esa fue la base para ser la persona que soy hoy.

Los Angeles, 2011

Barcelona, 2011

Redondo Beach, California, 2012

My top values are humanity, respect, empathy, compassion, integrity, and humility. Being the oldest of my two brothers, I developed a strong sense of responsibility. I always try to lead by example and be a role model for my brothers and for anyone who knows me or is close to me, especially kids who follow me closely and admire me.

I am who I am, with my virtues and flaws, but I understand the responsibility and the power of my position. All eyes are on me and I have an impact on people. Whether that impact is positive or negative is my responsibility. It's up to me to blaze a meaningful path.

Mis valores principales son humanidad, respeto, empatía, compasión, integridad, humildad. Al ser el mayor de mis hermanos he desarrollado un fuerte sentido de la responsabilidad. Siempre intento liderar con el ejemplo y serlo para mis hermanos y para cualquier persona que me conozca o sea cercana, especialmente para los niños que me siguen de cerca y me admiran.

Soy quien soy, con mis virtudes y mis vicios, y entiendo la responsabilidad y la situación de poder de una posición como la mía. Soy observado constantemente y tengo repercusión en la gente. Esa transcendencia puede ser positiva o negativa. Dependerá de mí utilizarla de un modo adecuado para abrir una vía positiva para todos.

AMERICA
AMÉRICA

Hermosa Beach, California, 2010

San Francisco, California, 2011

In 2001, I came to America for the very first time. It was for the NBA draft ceremony in New York. The city was humongous. Everything was bigger. I looked up at the buildings and felt like they were going to fall on me. I went to a restaurant the first night. The steak was huge. The amount of ice they put in water and sodas was way too much. The air conditioning was too cold.

During my early years in the NBA, I spent a lot of time in hotel rooms by myself. Luckily, my family was in Memphis, Tennessee, and that made a huge difference. At first, it was all new. I didn't have many friends on the team and I didn't know what to do in certain situations or how things worked. I had never ordered room service in my life. When I went to restaurants, I didn't know what to order. I couldn't understand everything on the menu, so it wasn't easy. I just couldn't wait to be on the floor and do something that I was comfortable with and good at.

But as time went on, the hospitality shown to me made the transition easier.

En el 2001, vine a América por primera vez. Fue por la ceremonia del Draft que se celebraba en Nueva York La ciudad era gigantesca. Todo era más grande. Miraba hacia arriba a los rascacielos y tenía la sensación de que se me iban a caer encima. Fui a un restaurante la primera noche que llegué. El trozo de carne era enorme. La cantidad de hielo que le ponen al agua y a las bebidas, demasiada. El aire acondicionado, muy frío.

Durante mis primeros años en la NBA, pasé mucho tiempo en habitaciones de hotel solo. Afortunadamente, tenía a mi familia en Memphis, y eso fue un punto de apoyo para mí fundamental. Al principio todo era nuevo para mí, no tenía muchos amigos en el equipo y no sabía qué hacer en ciertas situaciones ni cómo funcionaban las cosas. Nunca había pedido un servicio de habitaciones en mi vida. Cuando iba a restaurantes, no sabía qué pedir. No podía entender todo lo que había en el menú, así que no fue fácil. Lo que más quería era que llegara el momento de pisar la pista y hacer algo con lo que me sentía cómodo y que se me daba bien. Siempre es difícil para cualquier persona dejar su país natal y adaptarse a un sitio, cultura y lengua completamente diferentes. Pero muy pronto me di cuenta de las increíbles oportunidades que conllevaba jugar y vivir en este país. Es abierto, enorme y de una diversidad difícil de encontrar en cualquier otro sitio.

Pero con el paso del tiempo, la hospitalidad mostrada ha hecho que la transición sea más fácil.

It is always difficult for people to leave their home country and assimilate to a totally different place, culture, and language. But pretty soon, I became aware of all the amazing opportunities to play and live in this country. I started to discover how global America is. It is open and it is enormous, with a diversity that is hard to find anywhere else.

I've had the opportunity to fly all over the country, thanks to my profession. I get to see and appreciate all the different cultures and ethnicities in diverse cities and communities.

Siempre es difícil para la gente al salir de su país de origen y asimilar un lugar totalmente diferente, su cultura y el lenguaje. Pero muy fui consciente de que era una oportunidad increíble jugar y vivir en este país. Prontó me percaté de lo global que es Estados Unidos, es un país muy abierto y enorme, con una diversidad que es difícil de encontrar en ninguna otra parte.

He tenido la oportunidad de volar por todo el país gracias a mi profesión. Llego a ver y a apreciar las diferentes culturas y razas en la gran diversidad de ciudades y comunidades.

San Francisco, 2011

Dodger Stadium, Los Angeles, 2010

I get to see all the different people, from all over the world, this country attracts. There are so many opportunities to have a fulfilling life here.

Regardless of what part of the country I find myself in, I see people who have left their homelands to pursue the American dream. A lot of people come here with very little and hope to make their dreams come true. They feel like it's their best chance in life to succeed, to accomplish great things.

Veo a personas de distintos orígenes, provenientes de cualquier parte del mundo, que este país atrae. Hay muchas oportunidades para conseguir una vida completa aquí.

Independientemente de en qué parte del país me encuentre, veo a personas que han dejado sus hogares atrás para perseguir el sueño americano. Mucha gente viene aquí con muy poco y esperan que ese sueño se haga realidad. Sienten que es su mejor oportunidad para triunfar y conseguir grandes cosas.

My first home in this country was in Memphis. I had to get used to a different culture, with its own rhythm and customs. Despite being different from my homeland, it was very welcoming, and the people were warm and kind.

Then I had the opportunity to live in Los Angeles, a much bigger city that is cosmopolitan and very international, with a wide variety of things to do.

Redondo Beach, California, 2011

Mi primera casa aquí fue Memphis. Me tuve que acostumbrar a una cultura diferente, con su propio ritmo y costumbres. A pesar de ser distinta al lugar donde yo había crecido, fue una ciudad muy acogedora, con gente muy cercana y amable.

Luego tuve la oportunidad de vivir en Los Ángeles, una ciudad mucho más grande. Cosmopolita, muy internacional, con una amplia variedad de cosas que hacer.

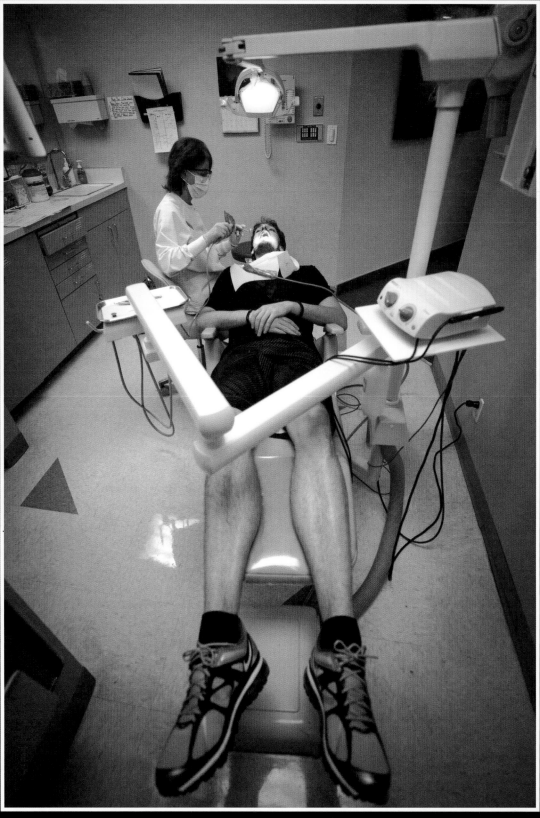

Los Angeles, 2012

The wholehearted pursuit of dreams is a very attractive and unique quality about America. The fact that people continue to come here searching for happiness is very meaningful. I appreciate it a lot. It's something this country should be very proud of.

La persecución de los sueños es algo muy atractivo y único en América.

El hecho de que muchas personas continúen viniendo aquí en busca de la felicidad es muy significativo. Yo lo valoro mucho. Es algo de lo que este país debería sentirse orgulloso.

Los Angeles, 2011

Redondo Beach, California, 2011

I'm very thankful the best basketball league in the world is in America. It's a big part of my life and always will be. It's been an amazing and invaluable experience for me. I have learned and grown so much—and fulfilled so many dreams in America.

Me alegra mucho que la mejor liga de baloncesto esté en Estados Unidos. Este país y esta liga son ya una parte importante de mi vida, y lo serán para siempre. Ha sido hasta el momento, y así lo consideraré siempre, una experiencia de un valor incalculable a todos los niveles.

Oracle Arena, Oakland, California, 2011

READING LECTURA

I like to read before I go to bed. It takes my mind off the day's happenings.

When I read, it's relaxing and calming—and I find peace. It's a refreshing change of pace to my daily activity.

Recently, I've been reading books on leadership, self-organization, mastery, excellence, and raising efficiency.

What I read isn't necessarily a reflection of what's going on in my life. I enjoy books across all genres. I like to mix it up. I go online and read recommendations and reviews. But more often, I get books through my friends and family. I usually don't read e-books because I like the feel of actual books in my hands.

Me gusta leer antes de dormir. Me ayuda a evadirme de cualquier cosa que haya ocurrido durante el día.

Cuando leo, me relajo y me calmo. Encuentro paz. Es un cambio de ritmo respecto a mi actividad diaria. Es realmente refrescante para mí.

Recientemente he estado leyendo libros sobre el liderazgo, la autogestión, control, excelencia, y sobre cómo ser más eficiente.

Lo que leo no es necesariamente un reflejo de lo que está pasando en mi vida. Disfruto libros de diferentes géneros. Me gusta variar. Entro en internet y leo las recomendaciones y las críticas. Pero más a menudo obtengo libros a través de mis amigos y familia. No suelo leer libros electrónicos porque me gusta el tacto de los libros en mis manos.

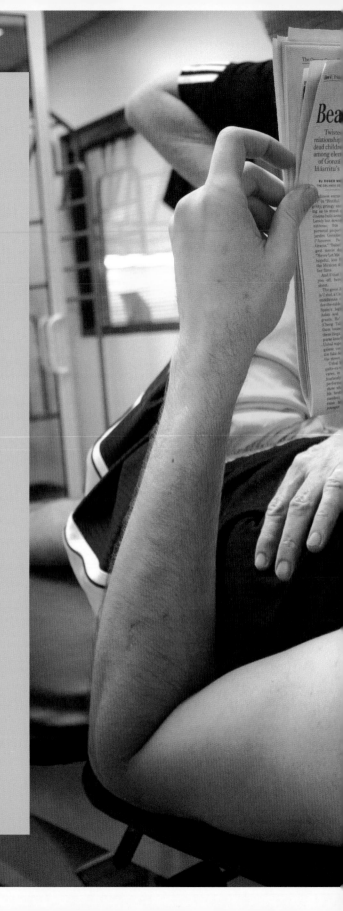

Los Angeles, 2011

As I have gotten older, I have come to realize there is much to learn and appreciate from books—history, people, experiences, poetry, and the infinite mysteries of life.

I find inspiration in words.

A medida que voy avanzando en mi vida, me doy cuenta de lo mucho que hay que aprender y apreciar de los libros—historia,

Juan Carlos Navarro; Madrid, 2011

I like to take away at least one lesson from every book I read—be it a concept I can incorporate in my life and transform into a useful tool, or an idea to enhance my knowledge.

I sometimes highlight passages that are important and motivational. I write them down on my laptop so that I can read them over and over.

Learning more about subjects that captivate me, ones that I can share with other people...it's very rewarding.

I do not have an all-time favorite book. They're all different and a lot of them are great. Reading is absolutely spellbinding. Books stimulate my brain, nurture my intellect, and touch my soul.

Reading is to my mind what exercise is to my body.

Me gusta extraer al menos una lección de cada libro que leo—ya sea un concepto que pueda incorporar en mi vida y que me sea útil, o una idea que aumente mi conocimiento.

A veces subrayo pasajes que son importantes y me resultan útiles. Los escribo en mi ordenador y los guardo para releerlos cuando los necesite.

Aprender más sobre un tema que realmente me interesa, que puedo compartir con otras personas...es muy gratificante.

No tengo un libro preferido. Cada libro es diferente y tiene cosas importantes e interesantes. Leer es fascinante. La lectura me estimula y me hace aprender cosas, y enriquece el espíritu.

Es para mi mente lo que el deporte es para mi cuerpo.

Pau's bookshelf, Los Angeles, 2013

FAME FAMA

Lakers Training Facility, El Segundo, California, 2011

Fame wasn't one of my goals or desires when I was young.

I always had a certain level of confidence in myself, but I never thought that I could achieve the level of recognition and fame that I have today. I never set limits to my potential or reach, so I just kept working to get better to find out how far I could get.

At an early age, I did want to go from people saying: "Hey look at that guy, he's really tall. How tall do you think he is?" to "Hey, that's Pau Gasol, the great basketball player."

But it has gone beyond that.

La fama no era uno de mis objetivos o deseos cuando era joven.

Siempre tuve un cierto nivel de confianza en mí mismo, pero nunca pensé que podría llegar al nivel de reconocimiento y fama que tengo hoy. Nunca he puesto límites a mi potencial ni a lo que podía alcanzar, así que seguí trabajando para mejorar y comprobar hasta dónde era capaz de llegar.

Ya en mi adolescencia, quería que la gente pasara de decir: «¡Eh! Mira ese chico, es muy alto. ¿Cuánto crees que mide?», a: «¡Eh! Es Pau Gasol, el gran jugador de baloncesto».

Pero se han superado con creces mis expectativas.

Bell Sound Studios, Los Angeles, 2011

When people admire and appreciate me on more of a personal and human level—for more than just being a basketball player—I find it to be really rewarding.

At the end of the day, after I'm done playing basketball and I'm in another stage of my life, I will continue to be the same person, no matter what I do. That won't change.

Cuando la gente me admira y aprecia a un nivel más personal y humano—más allá de por ser un jugador de baloncesto—es algo que para mí es muy gratificante.

Al fin y al cabo, cuando acabe de jugar a baloncesto, continuaré siendo la misma persona, en otra faceta de mi vida pero siendo el mismo sin importar a lo que me dedique. Eso no cambiará.

Brother, Marc; Madrid, 2011

Redondo Beach, California, 2012

Madrid, 2011

I feel proud when people approach me and say: "Hey, you're great" or "I love what you do" or "Thanks for everything you do."

Those are very nice moments to experience as a person. It sticks and it's meaningful. Making an impact on other people's lives and making a difference on a higher scale—that's truly powerful.

What I like to achieve is just to share my thoughts and experiences, and rub off on others my enthusiasm, my desire for life, and my principles. I would like to inspire others and improve people's lives: just have positive impacts on people.

Basketball has afforded me that privilege.

I've been able to reach people in a special way. I'm lucky to play a sport that is followed and admired, and brings excitement to a lot of people who watch it.

There are a lot of gifted and talented people in this world who are the best in their profession, but the vast majority of them are not well-known. If I would've played a different sport that was much less followed than basketball, I wouldn't have been rewarded at that level.

But the best basketball players, soccer players, tennis players, track runners, and other athletes are known all over the planet.

Me siento orgulloso cuando la gente se acerca a mí y me dicen: «Hola, felicidades por todo» o «Me encanta lo que haces» o «Gracias por todo lo que haces».

Esos son momentos muy bonitos de vivir como persona. Se me queda dentro y significa mucho para mí. Tener un impacto positivo en la vida de personas y contribuir más allá de uno mismo: eso es verdaderamente influyente.

Lo que me gusta es lograr compartir mis pensamientos y experiencias, y contagiar mi entusiasmo a los demás, mi deseo por la vida, mis principios; inspirar a otros y aportar algo a la vida de la gente: solo tener un impacto positivo en las personas.

El baloncesto me ha ofrecido ese privilegio.

He podido llegar a las personas de una forma especial. Tengo suerte de jugar a un deporte que la gente sigue, admira y se emociona al verlo.

Hay muchas personas con dones y grandes talentos en este mundo, que son los mejores en su profesión, pero la gran mayoría de ellos no son tan conocidos a nivel público. Si hubiera jugado a un deporte diferente que fuera mucho menos seguido que el baloncesto, no hubiera podido ser recompensado de esa forma.

En cambio los mejores jugadores de baloncesto, fútbol, tenis, atletismo, y otros deportes, son conocidos por todo el planeta.

There are downsides to the fame.

One issue is the lack of privacy. It seems that since I am a public figure, certain people feel entitled to talk about me and steal moments of my personal life. I respect the celebrities who like to gain exposure by making themselves available to talk about their personal matters, but the ones who choose not to share them should be respected, too. Unfortunately, I don't think that's going to change any time soon.

It's hard for me to go unnoticed. I think my height has a lot to do with it. But there are times—as much as I love and am thankful for people's appreciation for who I am and what I do—that I would like to go under the radar.

Aun así, la fama tiene lados negativos.

Uno de ellos es la falta de privacidad. Parece ser que por el hecho de ser una figura pública, cierta gente se siente con derecho de hablar y robar momentos de tu vida personal sin tu permiso. Yo respeto a las personas que quieren aprovechar su posición para voluntariamente ofrecer información sobre su vida privada, pero aquellos que eligen no compartirla deberían ser respetados. Desafortunadamente, no creo que eso vaya a cambiar en un futuro cercano.

Es difícil para mí pasar desapercibido. Creo que mi altura tiene bastante que ver con ello, pero hay veces—por mucho que me encanta y agradezco el aprecio que me demuestra la gente por ser quien soy y hacer lo que hago—que me gustaría pasar inadvertido.

Los Angeles, 2011

I'm very happy and extremely fortunate with my life. But I have to be guarded.

People know that I have achieved a certain level of success and money. They have an interest in approaching me, trying to be close to me, hanging out with me, trying to earn my trust somehow; basically hoping to take advantage of me. That's definitely something I've had to deal with a lot, so I always have my guard up with people I meet, and I am always very cautious until I really know who they are. I can tell by experience if I want to allow them into my life.

I spend quite a lot of time by myself. Sometimes I want to and sometimes I just have to.

Before, solitude was more difficult to deal with, but now I have learned to appreciate those moments. They allow me to disconnect, to read, to watch a movie, to meditate, to reflect.

When I'm on the road in hotels, it's my time to relax. Here, too, in my home.

Soy muy feliz y extremadamente afortunado con mi vida. Pero tengo que ir con cuidado.

La gente sabe que he conseguido un cierto nivel de éxito y cierta cantidad de dinero. Tienen interés en ponerse en contacto conmigo, en estar cerca de mí, en pasar un rato conmigo, en intentar ganarse mi confianza de alguna forma; básicamente en intentar aprovecharse de mí. Eso es, sin duda, algo que he tenido que experimentar mucho, así que siempre estoy en guardia con las personas que conozco hasta que realmente sé quiénes son. Ya con experiencia acumulada, voy con mucho cuidado a la hora de elegir a quién permito entrar en mi vida.

Paso bastante tiempo solo. Algunas veces así lo quiero, otras no tengo más remedio.

Antes era más difícil sobrellevarlo, pero ahora he aprendido a aprovechar esos momentos. Me permiten desconectar, leer, ver una película, meditar, reflexionar.

Cuando estoy de viaje en los hoteles, es un buen momento para recuperarme y relajarme. También intento hacerlo en casa cuando puedo.

Barcelona, 2011

Now I play in front of thousands of people who watch me do what I love to do, whether it's live or from their homes. When I stop and think about it, it's truly flattering.

I appreciate my fame. But beyond being a pretty good basketball player, I want to be the best person that I can be and continue to follow my heart and be loyal to my principles for the rest of my life.

Ahora juego delante de miles de personas que me están viendo hacer lo que amo, ya sea en directo o desde sus casas. Cuando me paro a pensarlo es verdaderamente halagador.

Aprecio mi fama. Pero por encima de ser un buen jugador de baloncesto, quiero ser la mejor persona que pueda y continuar siguiendo a mi corazón, y ser fiel a mis principios, el resto de mi vida.

Barcelona, 2011

PHILANTHROPY
FILANTROPIA

Children's Hospital Los Angeles, 2011

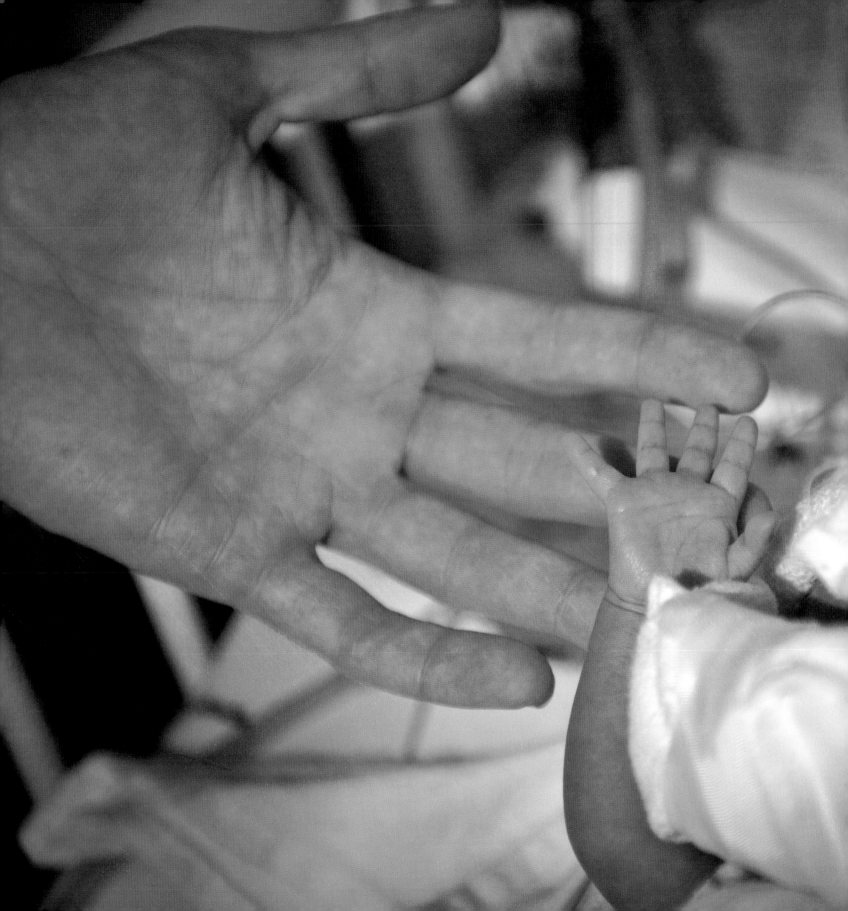

We all have a purpose in life, and I believe we all can play a special role in our lifetime. We just need an opportunity, and if given the chance, it's up to us to take advantage of it. I was very fortunate to have opportunities, and was very aware that without continuous dedication, they could disappear as easily as they came.

There are so many kids around the world who suffer so much, go through situations that we can't ever imagine unless we see it with our own eyes, and even then, we would find it unbelievable.

I see vulnerable children living under extreme circumstances, and there's nothing more rewarding to me than helping those children in need, to give them a chance.

That's what I hope I can continue to do—give opportunity to children so they have a chance in life to achieve their fullest potential.

Todos tenemos un propósito en la vida y yo soy un firme creyente de que todos podemos tener una labor especial en nuestra vida. Si la oportunidad nos es dada, está en nuestras manos el aprovecharla. Yo he sido muy afortunado de tener oportunidades, teniendo muy claro que, sin dedicación continua, tal como vienen se van.

Hay muchísimos niños y niñas alrededor del mundo que sufren demasiado, viviendo situaciones que nos son muy difíciles de imaginar a no ser que las veamos con nuestros propios ojos, y aun así nos parecerían inverosímiles.

Veo niños vulnerables viviendo bajo condiciones extremas y no hay nada más gratificante que ayudar a esos niños necesitados; darles una oportunidad.

Eso es lo que espero poder continuar haciendo—dar oportunidades a niños para que tengan opciones en sus vidas y crecer en las personas en qué se puedan convertir.

Children's Hospital Los Angeles, 2011

Helping is beyond rewarding. It makes me a better person; it makes me feel fuller, complete. I know that I'm doing something right—not just for me, but for others.

Helping gives superior meaning to my life. Anything that goes beyond oneself provides a much higher level of purpose in life. Each one of us should think about that—about the positive impact we can make on someone's life. A quick word of encouragement, a gesture of reinforcement . . . it can be in many different ways. Big or small, I try to impact others in a positive way.

Ayudar es mucho más que gratificante. Me hace sentir una mejor persona; me hace sentir más lleno, completo. Sé que estoy haciendo algo bueno—no solo por mí sino también por los demás.

Ayudar da un significado superior a mi vida. Todo lo que va más allá de uno mismo aporta un propósito a un nivel mucho más alto. Cada uno de nosotros debería pensar sobre ello—sobre el impacto positivo que podemos tener en la vida de otras personas. Una palabra de ánimo, un gesto de confianza... Puede ser de muchas formas diferentes. De una forma grande o pequeña, intento impactar a los demás de una manera positiva.

Hana; Children's Hospital Los Angeles, 2011

UNICEF is the main organization I support and have the longest relationship with. They do such great work around the world helping children. I have had the privilege of serving as a goodwill ambassador for the U.N. Children's Fund since 2003.

UNICEF es la principal organización con la que colaboro y con la que tengo la relación más larga. Su labor en ayudar a la infancia por todo el mundo es de vital importancia. Tengo el privilegio de ser embajador de buena voluntad desde el 2003.

© UNICEF Comité Español/ Sudáfrica/ 2005/ C. Ribes
© Spanish Committee for UNICEF/South Africa/ 2005/ C. Ribes

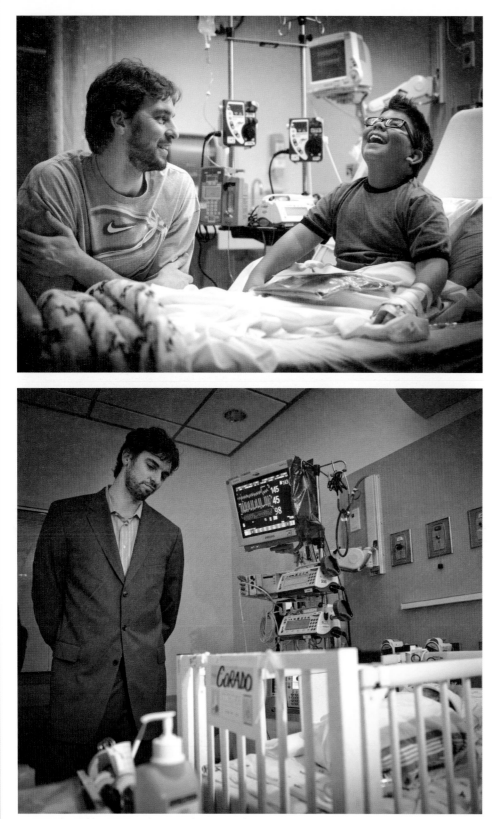

I also work with several hospitals. Aside from my personal passion for medicine, I think that health and education are the two points we should focus on in order for children to grow and develop in the best possible way. We need to make sure we first take care of these two basic obligations and then move on to other needs.

También trabajo con varios hospitales. Además de mi pasión por la medicina, pienso que la salud y la educación son dos factores en los que tenemos que centrarnos, para que la infancia crezca y se desarrolle lo mejor posible. Nos tenemos que asegurar de que primero cubrimos estos campos básicos para luego avanzar hacia otras necesidades.

(Top) Isaiah; Children's Hospital Los Angeles, 2011, (bottom) 2012

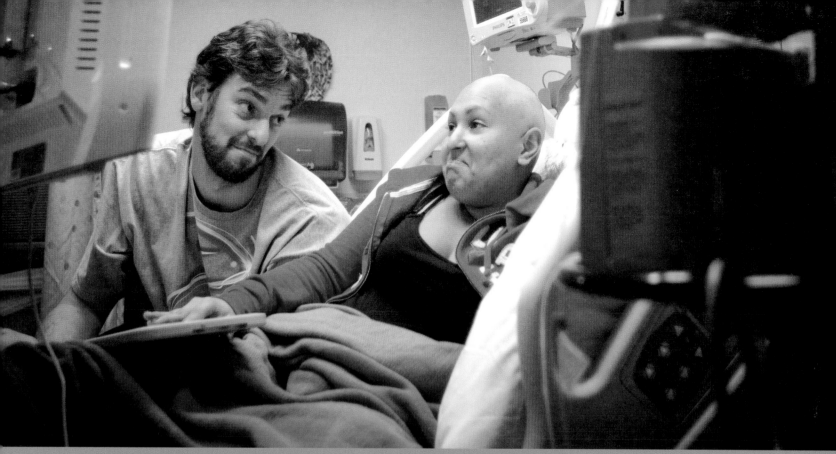

antha; Children's Hospital Los Angeles, 2011

For the most part, giving without expecting something in return is an act that each person should practice in life. There is always someone in worse shape, always someone who needs somebody to care for them, to give them a lift, to make them feel they matter and that they are truly special. I always search for ways to make a difference—it is something everyone is capable of doing and making a habit in their lives.

Through my experience, I know that little things make a big difference. Little details have a huge impact and are usually the most important ones in sports, in life, in pretty much everything.

En líneas generales, dar, sin esperar nada a cambio, es algo que cada persona debería tener presente en su vida. Siempre hay alguien en peor estado, alguien que necesita a otra persona que le muestre cariño, alguien a quien levantarle el ánimo y hacerle sentir que importa y que todos somos especiales. Siempre busco maneras de tener este tipo de efecto. Es algo que todos tenemos la capacidad de hacer y podemos conseguir que sea algo habitual en nuestras vidas.

A través de mi experiencia sé que las pequeñas cosas marcan una gran diferencia. Los pequeños detalles tienen un enorme impacto y son los que al final marcan la diferencia en el deporte, en la vida, en prácticamente todos los niveles.

There are many ways to get involved in things that are important. Once I've identified them, it's not all about economic contributions. Giving my time and actively committing to a cause that touches hearts is also significant.

Let's try to picture if not just you, but ten, hundreds, thousands, millions of people would give a little, just imagine how much could be achieved.

Hay muchas maneras de involucrarse en cosas que sean importantes para nosotros. Una vez las identificamos, no todo es contribuir económicamente. Creo que otorgar tu tiempo y comprometerse activamente con una causa que te llega al corazón, es tan o más significativo.

Tratemos de visualizar si, no solo nosotros, sino diez, cientos, miles, millones de personas, dieran solo un poco. Imaginad cuánto se podría lograr.

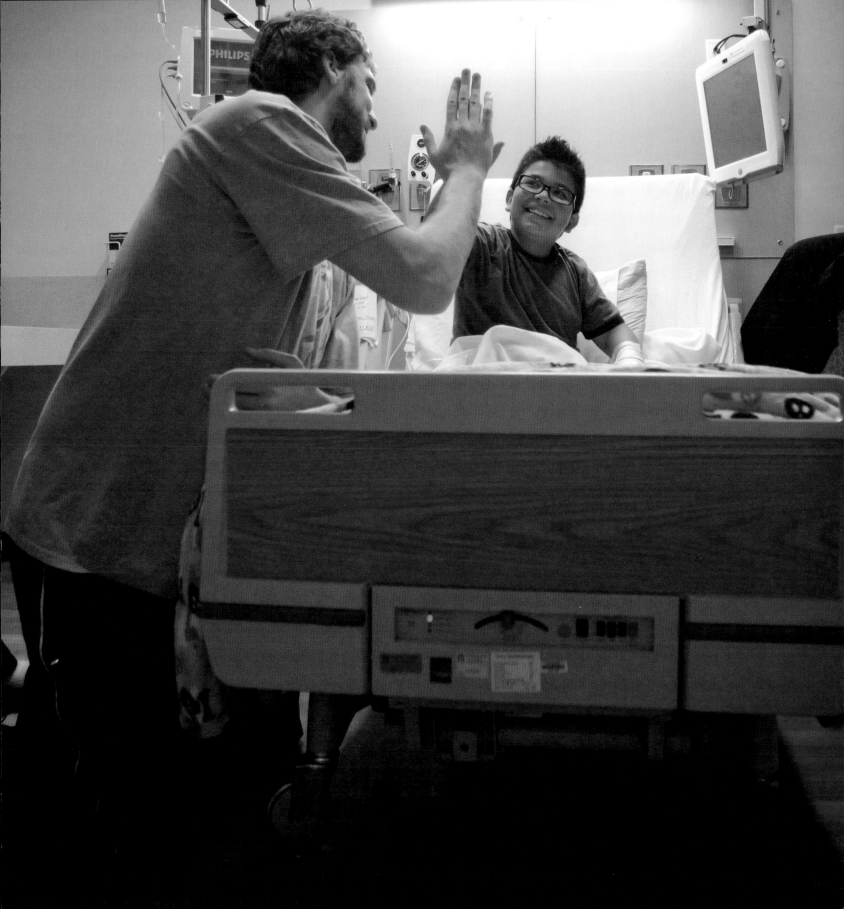

Los Angeles, 2013

After gaining a lot of experience working with different organizations and charities throughout my career, I couldn't be prouder to have created the Gasol Foundation with my brother, Marc. We have a mission: to make sure that today's children grow up healthy, doing the right amount of exercise, and eating proper foods that enhance their abilities to learn and develop.

Después de acumular mucho conocimiento trabajando con diferentes organizaciones a lo largo de mi carrera, no podría estar más ilusionado y orgulloso de haber creado la Fundación Gasol junto a mi hermano Marc. Tenemos una misión: asegurarnos de que los niños y niñas crecen sanos, haciendo ejercicio y comiendo de forma sana para ayudarles a mejorar su capacidad de aprendizaje y desarrollo.

Los Angeles, 2011

I feel very comfortable bringing attention to a cause and to an organization so more people can be aware, participate, get involved, and understand what's going on. I like to be an eye-opener. That's what I've been trying to do and would like to continue to do for many years.

Me siento muy cómodo atrayendo la atención sobre una causa en particular y sobre una organización para que más gente sepa, participe, se involucre y comprenda lo que sucede. Me gusta ayudar a abrir los ojos de los demás. Es algo que he intentado hacer y que me gustaría seguir haciendo durante muchos años.

Los Angeles, 2011

Children's Hospital Los Angeles, 2011

Later on in my life, without really knowing what's coming next, I'd like to continue advocating for the different causes that I'm currently involved in. I know that after I retire from professional basketball, my impact will change because I will no longer be in the spotlight. But that won't affect my desire to continue to help others.

Right now, I try to have the biggest impact by sending a message and sharing what I've experienced. Being sensitive to the situation of others and being aware is really important—not just so I can help, but because it also makes me feel so fortunate to be able to do what I do. It makes me appreciate my life.

Jordi; Children's Hospital Los Angeles, 2011

Más adelante en mi vida, sin saber realmente qué me depara el futuro, me gustaría continuar con las diferentes causas con las que colaboro, sabiendo que una vez me retire del baloncesto profesional, mi impacto cambiará al no estar en el foco de atención, pero eso no cambiará mi deseo de seguir ayudando a otros.

Ahora, intento tener la mayor repercusión posible transmitiendo un mensaje y compartiendo lo que he experimentado. Ser sensible a la situación de otros y ser consciente es realmente importante—no sólo para que pueda ayudar, sino también porque me hace sentir afortunado de poder hacer lo que hago y apreciar mi vida.

BARCELONA

Barcelona 2011

I was born in Barcelona and raised very near the city, so there's a high level of pride associated with being Spanish, being Catalan, and with everything that comes out of Barcelona.

Barcelona is considered one of the most beautiful cities in the world. I am in love with it; I admire it; I am captivated by it.

It's an unconditional love for the beauty of my city. I relate so much to everything that is linked to Barcelona and it just makes me feel a special sense of belonging, a unique love, and a passion for my homeland.

I don't want to ever lose that sense of attachment to my roots and love for my culture.

Es donde nací. Crecí muy cerca de ella, así que tengo un sentimiento de orgullo de ser de donde soy, con todo lo que está relacionado con Barcelona y proviene de ella.

Barcelona está considerada como una de las ciudades más bellas del mundo. Estoy enamorado de ella, le tengo una admiración especial, me cautiva.

Es un amor incondicional por la belleza de mi ciudad. Me identifico mucho con todo lo que esté asociado a Barcelona y eso me hace tener un sentimiento especial de pertenencia, de un amor único, y una pasión por mi tierra.

No quiero perder nunca ese sentido del apego a mis raíces y ese amor por mi cultura.

Barcelona, 2011

Like many European cities, there's a deep sense of history in Barcelona. Its architecture fascinates me. It's great when I see buildings by Gaudí or statues by Miró or works by other internationally recognized artists. They have left us with pure art and I take pride in that.

I feel a humble sense of belonging to Barcelona, and I also represent it everywhere I go. I try to be a good ambassador for my country. I feel like my accomplishments are also my countrymen's successes, because they've been there to support me from the beginning, to bestow their admiration and love, which I'm thankful for.

Al igual que en muchas ciudades europeas, hay un sentido profundo de la historia. La arquitectura de Barcelona me fascina. Es maravilloso ver las construcciones de Gaudí o las estatuas de Miró y diferentes artistas que son internacionalmente conocidos. Nos han legado puro arte y de eso me siento orgulloso.

Experimento una humilde sensación de pertenencia, de saber que soy parte de ella y también la represento allí donde voy. Intento ser un buen embajador de mi país. Siento que mis logros son también éxitos de mis compatriotas, porque ellos me han apoyado desde el principio, y me han otorgado su admiración y cariño, por lo que estoy muy agradecido.

 153

Barcelona, 2011

Obviously, the food is great, and I'm a huge advocate of the Mediterranean diet. But the people are the best—I love the mentality of being laid-back and not just worrying about work, work, work. There is so much more to life. I try to find the balance of working and making a living, but also making and taking the time to enjoy it with the people I love.

Life goes by really quickly—yesterday won't come back and tomorrow is yet to come. I don't know when my journey is going to end, so I always try to be conscious of that and live every day as if it could be my last.

Obviamente, la comida es estupenda, y soy un gran amante de la dieta mediterránea. Pero la gente es lo mejor—me encanta la actitud más relajada que tenemos, de no solo preocuparnos por trabajo, trabajo y trabajo.

Hay muchas más cosas en la vida. Yo intento encontrar el equilibrio entre el trabajo y ganarme bien la vida, con encontrar y tomarme tiempo para disfrutar con la gente a la que quiero. La vida pasa muy rápido y el ayer no volverá y el mañana aún está por llegar. No sé cuándo acabará mi viaje, así que siempre intento ser consciente de ello y disfrutar cada día como si fuera el último.

Barcelona, 2011

Barcelona, 2011

Barcelona, 2011

When I finish my career as a professional basketball player, however many years from now, I'd like to spend time in both Barcelona and in Los Angeles—my two homes.

Because I've also accomplished so much in the United States and have spent a huge part of my life in it, I would want to continue to do things in the country that has given me so much, on both a professional and a personal level. I'm extremely excited to build new projects and pursue new challenges after my basketball career.

Cuando acabe mi carrera como jugador de baloncesto, en los años que me queden, me gustaría pasar tiempo en Barcelona y Los Ángeles. Mis dos casas.

Como consecuencia de todo lo que he conseguido en los Estados Unidos y de que he pasado una gran parte de mi vida aquí, me gustaría hacer cosas en el país que me ha dado tanto, a nivel profesional pero también en lo personal. Estoy muy ilusionado con construir nuevos proyectos y establecer nuevos retos después de mi carrera baloncestística.

I'd also like to be back in Barcelona, close to my roots and close to my family. It will be interesting. You never know. Maybe there will be a job opportunity that is really great and I won't be able to turn down, and that changes the whole plan. In an ideal world, I would like to spend time in both places. I guess we will have to wait and see.

Me gustaría poder volver a Barcelona: cerca de mis raíces, cerca de los míos y de mi familia. Será interesante. Nunca se sabe: a lo mejor hay algún trabajo o alguna oportunidad importante en casa, y eso cambiaría las cosas siempre de modo constructivo. En un mundo ideal, me gustaría poder pasar tiempo en ambos sitios.

Barcelona, 2011

SUCCESS ÉXITO

Barcelona, 2011

Since I was little, I have always wanted to be the best at what I was doing. No matter what it was, I always had that competitive spirit.

A card game, a dominoes game, school grades, video games, anything—I just wanted to win.

If I was playing a particular song on the piano, I wanted to nail it. I wanted to prove to myself, to the teacher, and to anyone who was around that I was good and that I could do it. I've always striven to be the best that I could be.

Desde que era pequeño, siempre he querido ser el mejor en lo que estuviera haciendo. Siempre tuve ese espíritu competitivo, en cualquier cosa.

Cartas, dominó, notas en el colegio, videojuegos, lo que fuera. Quería ganar.

Si tocaba una canción en el piano, quería clavarla. Quería demostrarme a mí mismo, a la profesora y a cualquier persona que estuviera alrededor, que era bueno y podía conseguirlo. Siempre he intentado ser lo mejor que puedo ser.

I always set short-term goals for myself in order to get to the bigger goal. It's about being specific.

The goal is the journey. It keeps me on the right path. It keeps me from getting lost in the process and helps me stay focused and directed toward where I want to go.

It's important for me to keep in mind how much of myself I am putting into achieving my goals. Is it worth the sacrifices? The key is to have a passion for what you do. That will always push you to go that extra mile.

My life in the last ten, fifteen years has been focused primarily on my career. Basketball has always been my priority. But I can't forget other aspects that are very important, too: my family, my personal life, my spiritual life. They are as relevant as—or more than—any job I do. It's key for me to nurture the different parts of my life. I must maintain a certain level of balance so I can achieve my goals.

Siempre me marco objetivos a corto plazo para poder llegar a la meta final. Es importante ser específico. El objetivo es el camino.

Me mantiene en el camino en que quiero estar. Me ayuda a no perderme y a mantenerme concentrado y dirigido a donde quiero ir.

Es importante para mí ser consciente de lo mucho que invierto para conseguir mis metas. ¿Merecen la pena los sacrificios? La clave es tener pasión por lo que haces. Eso siempre te empujará cuando crees que no puedes más.

Mi vida en los últimos diez, quince años ha estado centrada, principalmente, en mi carrera profesional. El baloncesto siempre ha sido mi prioridad. Pero no puedo olvidar otros aspectos que también son importantes; mi familia, mi vida personal, mi vida espiritual…son igual de relevantes o más que cualquier profesión que pueda tener. Es fundamental para mí alimentar los diferentes aspectos de mi vida. Tengo que mantener un cierto equilibrio entre ellos para poder alcanzar mis metas.

Clockwise from top left: Personal planner, 2012; Galen Center, Los Angeles, 2011; La Caja Mágica, Madrid, 2011; Madrid, 2011

I never set any limits to my abilities. Words like "impossible" or "I can't do this" or "this is too much" or "this is too hard" aren't part of my vocabulary.

It might have taken me a little longer to get there, but I've never doubted I could do it. That has always been my mindset. It didn't matter what the challenge was—I always pursued it and gave it my best shot.

Nunca marco ningún límite a mis habilidades. Palabras como «imposible» o «no puedo hacer esto» o «esto es demasiado» o «esto es demasiado difícil» no son parte de mi vocabulario.

Puede que haya tardado más en llegar, pero nunca dudé de que podía llegar. Esa siempre ha sido mi mentalidad. No importaba cuál fuera el reto. Siempre fui a por ello y lo intenté con todas mis fuerzas.

Barcelona, 2011

Los Angeles, 2011

I value very much all my achievements. I know how difficult it is to get to where I am now. It's one of the things that really works for me—to not be complacent with my accomplishments. Regardless of how great or bad yesterday was, the only thing that matters is today.

No matter how great or how badly I did the day before, I have to focus on what's happening in the moment and do my best. Embracing the present has been key to my success.

Sometimes life is going to work well and sometimes it is not. I try to keep a positive mindset in order to get through the harder moments.

Valoro muchísimo todo lo que consigo. Sé lo difícil que es llegar donde he sido capaz de llegar. Esta es una de las cosas que me va muy bien —no conformarme y estar satisfecho con las cosas que ya he conseguido—. Independientemente de lo bueno o lo malo que fuera ayer, lo único que importa es hoy.

No importa lo bien o lo mal que lo hice el día anterior. Tengo que concentrarme en lo que está sucediendo en este momento y dar lo mejor de mí mismo. Centrarme en el presente ha sido clave para mi éxito.

Hay veces que las cosas te van a salir bien y otras no. Intento mantener una mentalidad positiva para poder atravesar los momentos más difíciles.

To reach the highest level of success, it takes a lot of work and sacrifice. I've had a natural talent to play basketball, so at times I thought I didn't have to work as hard to be better than most guys. But at one point in my career, I realized that I did have to work really hard, because I didn't want just to be better than most—I wanted to be one of the top basketball players in the world.

I wanted to become a professional player in Spain. So I worked hard to be one of the top players in Spain. After that, I wanted to play in the NBA, which wasn't as common at the time as it is today. Then I wanted to be one of the top players in the league. Now I want to continue to be one of the top players in the NBA. That's very hard to do year in and year out. To sustain myself at that level is one of my top goals. Very few players in the world can do it.

Llegar al máximo nivel de éxito requiere mucho trabajo y esfuerzo. Siempre he tenido un talento natural para jugar a baloncesto, así que a veces pensaba que no tenía que trabajar igual de duro que los demás chicos. Pero en un punto en mi carrera entendí que tenía que trabajar muy duro porque no quería ser solo mejor que la mayoría sino que quería ser uno de los mejores jugadores del mundo.

Quería convertirme en jugador profesional en España. Luego trabajé duro para ser uno de los mejores jugadores en España. Luego quería jugar en la NBA, cosa que no era tan habitual en aquel momento como lo puede ser ahora. Luego quería convertirme en uno de los mejores jugadores de la liga. Ahora quiero continuar siendo uno de los mejores jugadores de la NBA. Es muy difícil conseguir serlo año tras año. Mantenerme a ese nivel es mi objetivo. Solo muy pocos jugadores en el mundo logran hacerlo.

La Caja Mágica, Madrid, 2011

I believe that happiness and enjoyment of what you do are the keys to long-term success. Being successful does not guarantee I am going to be happy, but being happy is going to help me be successful. I am very fortunate to have the chance to dedicate myself to basketball—something I'm extremely passionate about and has a lot to do with my level of happiness and success

Creo que la felicidad y disfrutar con lo que haces son la clave para el éxito duradero. Tener éxito no me asegura que vaya a ser feliz, pero ser feliz me va a ayudar a tener éxito. Soy muy afortunado de tener la oportunidad de dedicarme a algo por lo que poseo una gran pasión, y eso tiene mucho que ver con mi nivel de felicidad y éxito.

Barcelona, 2011   Trainer Joaquin Juan Sanda; Los Angeles, 2010

For me, success transcends basketball. It's also about touching the lives of people who aren't as fortunate as I am. To help people in need, especially children, fulfills me. It completes me as a person.

Family is everything to me. I try to be a good brother to my siblings and a good son to my parents, to whom I owe so much and who are directly responsible for helping me become the person I am today.

Para mí, el éxito transciende el baloncesto. Es también poder ayudar a aquellas personas que no son tan afortunadas como yo lo soy. Ayudar a gente que lo necesita, especialmente a la infancia, me llena, me completa como persona.

La familia lo es todo para mí. Intento ser un buen hijo para mis padres, a los cuales debo tanto y son directamente responsables de la persona que soy hoy. Y un buen hermano para mis hermanos.

Madrid, 2011   (Top) Father, Agustí and Brother, Adrià; Redondo Beach California, 2012
(Bottom) Friend Jorge Badosa; Los Angeles, 2011   172

I've always been pretty ambitious and competitive. I know that defeat is part of sports and life in general, but it's usually hard for me to be okay with it when it happens. With time, I've learned to put everything in perspective. When the losses occur, I calm myself down and think how lucky I am to do what I do, in all aspects of my life.

When I face losses, it's always a good opportunity to reflect and analyze what happened. Defeat and adversity give me a chance to know myself better and also learn from the things I can improve for the next challenge. I like to embrace defeat so it fuels me for what's next.

Siempre he sido bastante ambicioso y competitivo. La derrota es parte del deporte y de la vida en general, y aun así, sé que es difícil para mí aceptarla cuando ocurre. Con el tiempo, he aprendido a ponerlo todo en perspectiva y, cuando las derrotas suceden, me tranquilizo y pienso en lo afortunado que soy de hacer lo que hago, en todos los aspectos de la vida.

Cuando experimento derrotas es siempre una buena oportunidad para reflexionar y analizar lo que ha pasado. La pérdida y la adversidad me otorgan la oportunidad de conocerme mejor y también de aprender en qué cosas puedo mejorar para el próximo reto. Me gusta aceptar las derrotas para que me den fuerzas para lo que venga después.

Cho Byuong-Su; Barcelona, 2011

The journey to success is hard because everything that's worthwhile takes effort, sacrifice, and discipline. It wouldn't mean as much otherwise. That's what makes winning so unique. I can't expect things to turn out great and wonderful by doing nothing or by not working as hard as I can. Once I accomplish it, I go back in my mind and think about all that hard work, all the struggling. It makes the moment of victory that much more special and unforgettable.

El viaje al éxito es duro porque todo lo que merece la pena va a requerir esfuerzo, sacrificio y disciplina. El significado no sería el mismo de otra forma. Eso es lo que hace ganar al más alto nivel tan especial. No puedo esperar a que las cosas salgan bien y maravillosas sin hacer nada y sin trabajar todo lo duro que pueda. Para mí es la recompensa final. Una vez la consigo, miro atrás y pienso en todo el trabajo que me ha costado, todo el sufrimiento. Hace que el momento de la victoria sea tan especial e inolvidable.

EUROPEO DE LITUANIA 2011

FEB

La Caja Mágica, Madrid, 2011

It's one thing to get there, but to prolong it and extend it,
that's a whole different story.

Llegar es una cosa, pero poder mantenerse
es muy distinto.

KOBE
BRYANT

Kobe Bryant; El Segundo, California, 2013

Kobe Bryant is a one-of-a-kind player. He has a tremendous will and drive to be the best—and he dedicates his body and soul to it. He is restless; he is relentless. Those are some of the things that I admire most about him.

Kobe is a true competitor. He works harder than anybody and he goes after what he wants and is unstoppable when he is pursuing a goal. After rupturing his Achilles, he had surgery the very next day and started recovery immediately. He's been rehabbing from an injury that most players never get back from. I believe that he will not only come back from it, but he will come back as strong as ever. That's how he is. He's also an intellectual, and he thrives on learning and mastering what interests him. He can manage and handle any situation that comes up.

He dedicates himself to his goals, whether they are about basketball, whether they are personal goals, or whether they relate to any other subject. He's just a unique human being.

His ability to play basketball is sensational, but he works really hard to be able to do what he does on the floor. He has this incredible inner energy that most of us don't have.

Kobe es un jugador único. Tiene una voluntad y una determinación tremendas para ser el mejor y dedica su cuerpo y alma a ello. Es incansable; es inagotable. Esas son algunas de las cosas que más admiro de él.

Kobe es un competidor nato. Trabaja más duro que nadie, persigue lo que quiere. Después de romperse el tendón de aquiles, decidió operarse justo al día siguiente y así empezar con la recuperación de forma inmediata. Ha estado trabajando en la rehabilitación de una lesión de la cual la mayoría de jugadores que la han sufrido no se recuperan. Creo que no sólo va a poder volver a jugar sino que va a volver más fuerte que nunca. Así es él. Es un intelectual, le gusta aprender y masterizar lo que le interesa. Puede manejar y gestionar cualquier situación que surja.

Se dedica al máximo a sus objetivos, ya sean referentes al baloncesto, a su vida personal, o a cualquier otro asunto. Es un ser humano único.

Su habilidad para jugar a este deporte es sensacional, pero trabaja con la máxima dedicación para poder hacer lo que hace en la pista. Tiene una energía interior increíble que la mayoría de nosotros no poseemos.

Staples Center, Los Angeles, 2012

He is like a brother to me.
Es como un hermano para mi.

Staples Center, Los Angeles, 2011

We have been through many games and challenges together since we are both in a position of responsibility and leadership on the team. We've reached a certain level of connection, and arrived at a unique camaraderie and brotherhood.

We have a great sense of communication. Sometimes, we communicate in Spanish when we're on the court so other players won't have a clue about what we're saying.

Nos conocemos desde hace ya más de cinco años. Hemos desarrollado una fuerte amistad a lo largo de estos años. Gracias a que hemos atravesado tantos partidos y retos juntos, ambos en una posición de responsabilidad y liderazgo en el equipo, hemos alcanzado un cierto nivel de conexión, de compañerismo y hermandad.

Tenemos una gran comunicación. A veces, nos hablamos en español cuando estamos en la pista, de manera que los jugadores del otro equipo no saben lo que estamos diciendo.

Staples Center, Los Angeles, 2011

He has a drive to take over any game and score on any player, even when the opponent throws a double team on him. At the same time, I also know he has a keen sense of awareness and a very high basketball IQ. He understands the balance that needs to exist in order for a team to function. It's a luxury playing with him.

Obviously, we've had moments that haven't been smooth.

We get upset at each other at times. I remember after a loss to Memphis, my former team, I was very upset. During that game, Kobe passed Jerry West for one of his many records. I wasn't in the mood to be excited about it and the media caught my reaction. Kobe wasn't too happy with what some media published the next day.

The respect that exists at both the personal and professional levels, in the end, is what really counts and really matters. I'm thankful that I've had this opportunity to play next to him. He is one of the best players in the history of basketball. We are different players, different people, but it's been very interesting to get to know him and play next to him and win two championships together.

Conozco su instinto de adueñarse de cualquier partido y anotar delante de cualquier adversario, aun cuando el equipo contrario ponga dos jugadores encima de él. Al mismo tiempo, también sé que tiene un gran conocimiento y sentido del juego, entiende el equilibrio que un equipo necesita tener para funcionar. Es un lujo jugar con él.

Obviamente, hemos tenido nuestros más y nuestros menos.

A veces nos enfadamos el uno con el otro. Recuerdo una ocasión, tras una derrota contra los Grizzlies, mi exequipo, en la que me enfadé mucho. En aquel partido Kobe consiguió otro de los muchos récords que tiene en esta liga. Sin embargo, en la rueda de prensa, mi humor no era el mejor, algo de lo que los medios tomaron nota y que después reflejaron. Kobe estaba algo enfadado con lo que los medios publicaron al día siguiente.

El respeto que existe tanto en el nivel personal como el profesional, al final, es lo que realmente cuenta e importa. Estoy agradecido de haber tenido esta oportunidad de haber jugado a su lado. Es uno de los mejores jugadores de la historia del baloncesto. Todos somos jugadores diferentes, personas distintas, pero ha sido muy interesante haberlo conocido y haber podido ganar dos campeonatos jugando juntos.

188

Staples Center, Los Angeles, 2012

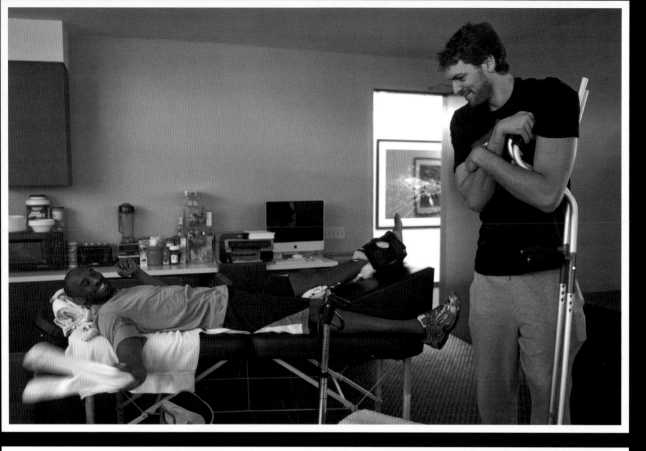
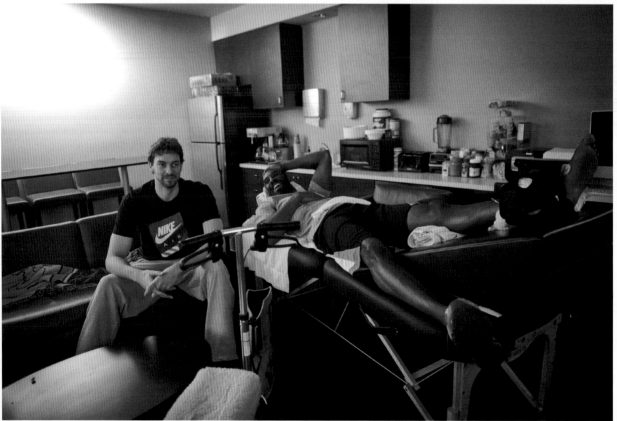

Galen Center, Los Angeles, 2011

The opportunities of growing up from age six to fourteen in Italy with his parents and learning to speak Italian were very important in his life. I think he is a different, well-rounded person because of it. He's just a bright guy and handles things in an exceptional way. He's well-spoken and articulate. With his experience and personality, he can manage and handle the most challenging situations that arise.

To have his respect and support means a lot to me. He can count on me for anything because that's the kind of friendship that I have with him. I know he might not need many things, but if he needs a true friend who is going to support him, he can definitely count on me. We have a great friendship that I hope will last our entire lives.

La oportunidad que tuvo de vivir de los seis a los catorce años en Italia con sus padres, y aprender a hablar el italiano, fue muy importante en su vida. Pienso que, gracias a ello, es una persona diferente y más completa. Es simplemente una persona brillante. Maneja las cosas de una forma excepcional. Tiene facilidad de palabra, es elocuente. Con su experiencia y personalidad, puede gestionar las situaciones más difíciles que puedan surgir.

Tener su respeto y su apoyo significa mucho para mí. Espero que sepa que puede contar conmigo para cualquier cosa, porque ese es el tipo de amistad que compartimos. Es muy probable que no necesite muchas cosas, pero sabe que si necesita un amigo de verdad, que le vaya a apoyar, ese voy a ser yo. Tenemos una gran amistad que espero que mantengamos el resto de nuestras vidas.

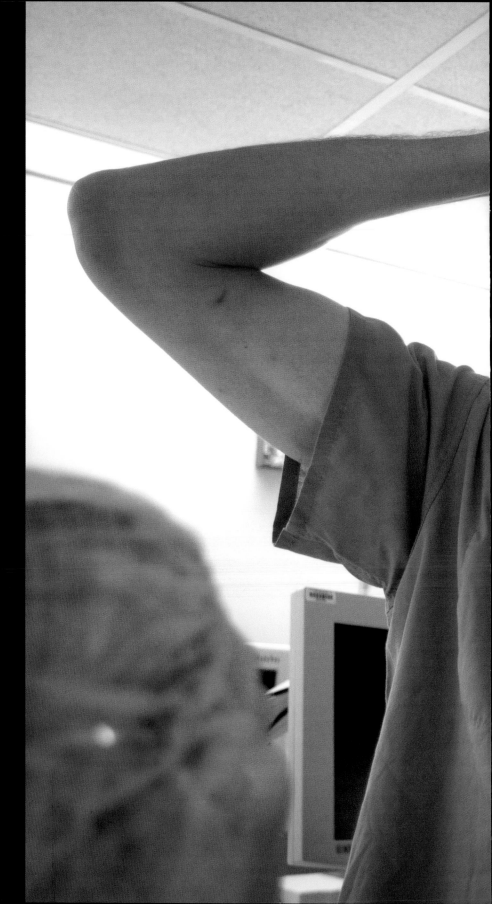

MEDICINE
MEDICINA

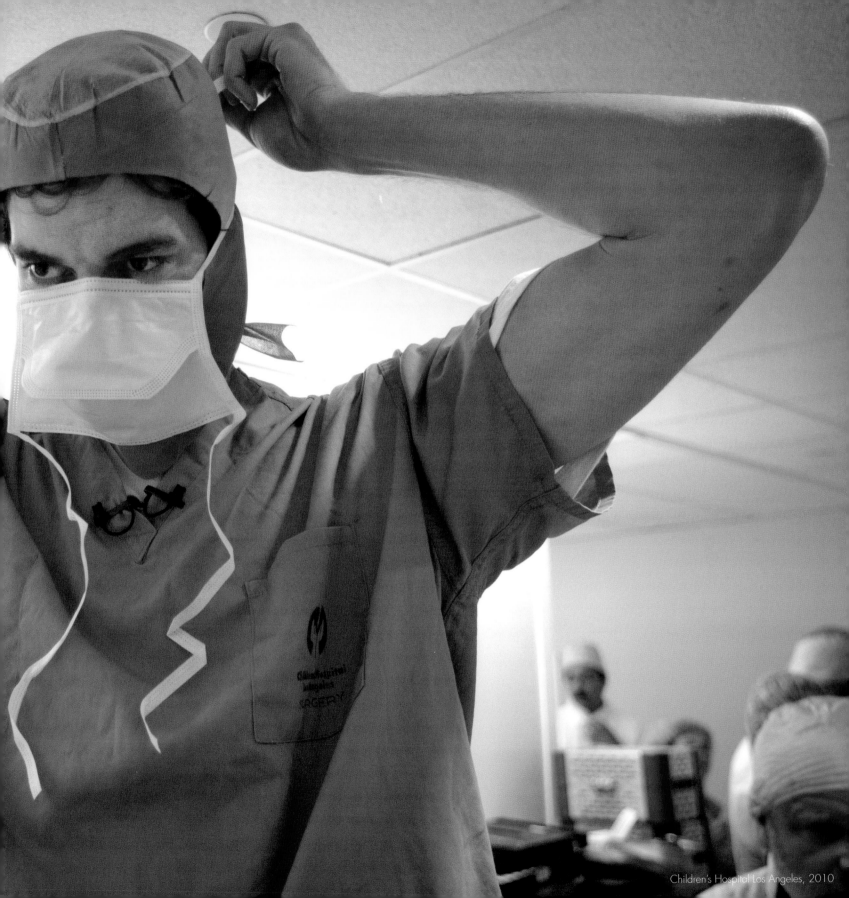

My mom is a doctor. Growing up, I'd run into my mom's patients in the streets of Sant Boi de Llobregat, the city we lived in. They would always tell me how great my mom was and how much she nurtured and watched over them.

She would always bring stories home of some of her patients. She was very thoughtful and cared a lot about her patients.

It resonated deeply with me. From the time I was little, I have cared for others. It is a part of me that has grown over the years. I have a lot of respect for life. Having the ability to save and improve lives is the biggest power that a person can possess.

My dad was also in the medical field, so it had a strong influence at home, and my interest in medicine grew over the years. I remember as a child wanting to find a cure for deadly diseases . . . cancer, AIDS. It was my dream—more so than becoming a professional basketball player.

Mi madre es doctora. De pequeño, me encontraba con los pacientes de mi madre por las calles de Sant Boi de Llobregat, donde vivíamos. Siempre me decían lo buena que era mi madre, lo mucho que se preocupaba y estaba pendientes de ellos.

Siempre traía historias a casa de alguno de sus pacientes. Era muy atenta en todo lo que hacía. Se preocupaba mucho por sus pacientes.

Eso se me quedó marcado. Desde que era pequeño, me he preocupado por los demás. Es una parte de mí que ha ido creciendo a lo largo de los años. Tengo mucho respeto por la vida. Tener la posibilidad de salvar y mejorar vidas es el poder más grande que una persona puede poseer.

Mi padre también trabajó en el sector sanitario, así que tuve una fuerte influencia en casa y mi interés en la medicina creció con el paso de los años. Recuerdo que de niño quería encontrar la curación a enfermedades mortales, como el cáncer o el sida. Era mi sueño—más que convertirme en jugador de baloncesto profesional.

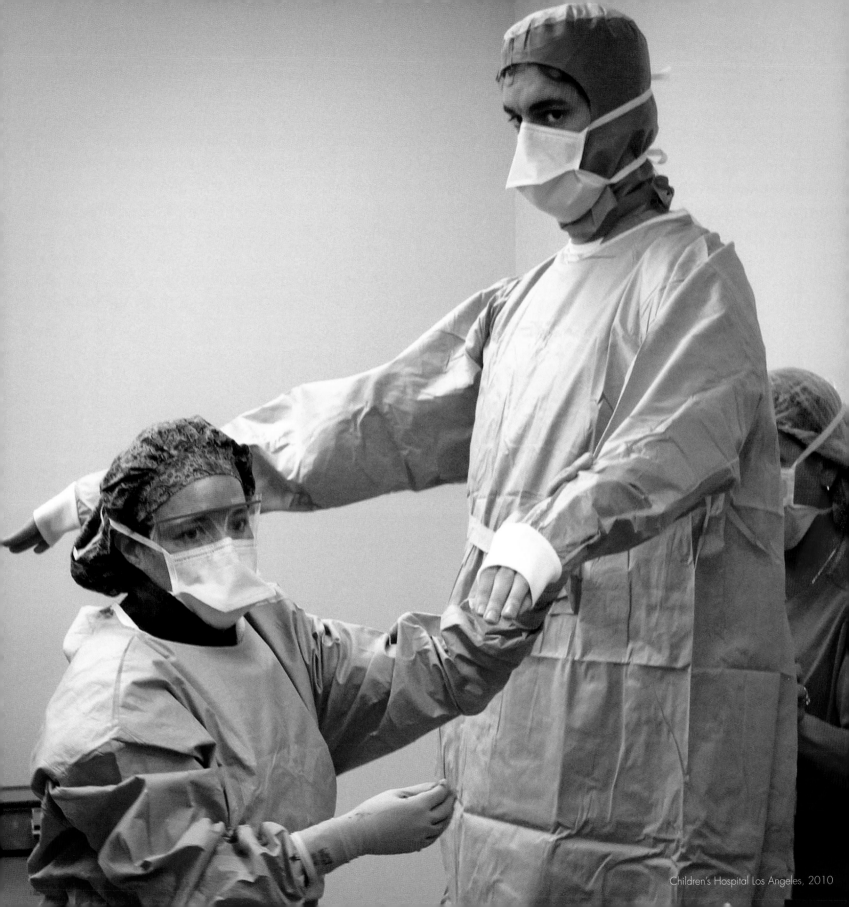

Children's Hospital Los Angeles, 2010

Because of my connection with children, I always thought that being a pediatrician could have been a good option. But I care so much, and being so passionate and sensitive at the same time would make it very hard to deal with—especially cases where kids' lives could be at risk. It made me second-guess that desire.

Working in a lab and conducting research was exciting and purposeful, so that's something that I probably would have pursued. I had always enjoyed science and being in the lab when I was in school and at the university.

When I turned 18, I wasn't fully convinced I would become a professional basketball player and that I could make a living doing it. So I followed my parents' advice and started studying medicine.

I remember that year. It was a period of intense growth for me. I had to hustle so much just to get through the day. Studying, going to class, going to practice . . . I didn't have time to get my license, so I had to use public transportation to go from one place to the other.

I didn't have much of a personal life at all. I sacrificed that aspect of my life to pursue the two things that were important to me, very important.

The next summer, I decided I couldn't continue studying medicine. I had played basketball since I was seven years old and pursuing the sport was a once-in-a-lifetime opportunity, so I went after it.

Por mi conexión con los niños, siempre pensé que la pediatría podría haber sido una buena opción. Pero yo me preocupo demasiado. Y ser tan intenso y sensible a la vez, habría sido muy difícil de llevar—especialmente con los casos en que la vida los niños pudiera estar en peligro. Eso me hizo dudar sobre ese deseo.

Trabajar en un laboratorio y formar parte de un equipo de investigación era algo que me atraía mucho, así que, posiblemente, esa especialización fuera la que habría perseguido. Siempre disfruté con la ciencia y el laboratorio en mis años de escuela y en la universidad.

Cuando cumplí los dieciocho no estaba convencido del todo de que fuera a convertirme en jugador de baloncesto profesional ni de que pudiera ganarme la vida haciéndolo. Así que empecé a estudiar Medicina, también siguiendo el consejo de mis padres.

Recuerdo ese año. Fue un periodo de crecimiento. Tuve que esforzarme mucho para poder hacer todo durante el día. Estudiar, ir a clase, entrenar… No tuve tiempo de sacarme el carnet de conducir y tenía que utilizar el transporte público para desplazarme de un lugar a otro.

No tenía mucha vida personal. Sacrifiqué ese aspecto de mi vida para poder dedicarme a las dos cosas que eran importantes para mí, muy importantes.

En el verano siguiente, decidí que no podía continuar estudiando Medicina. Llevaba jugando a baloncesto desde los siete años y era una oportunidad única, así que fui a por ella.

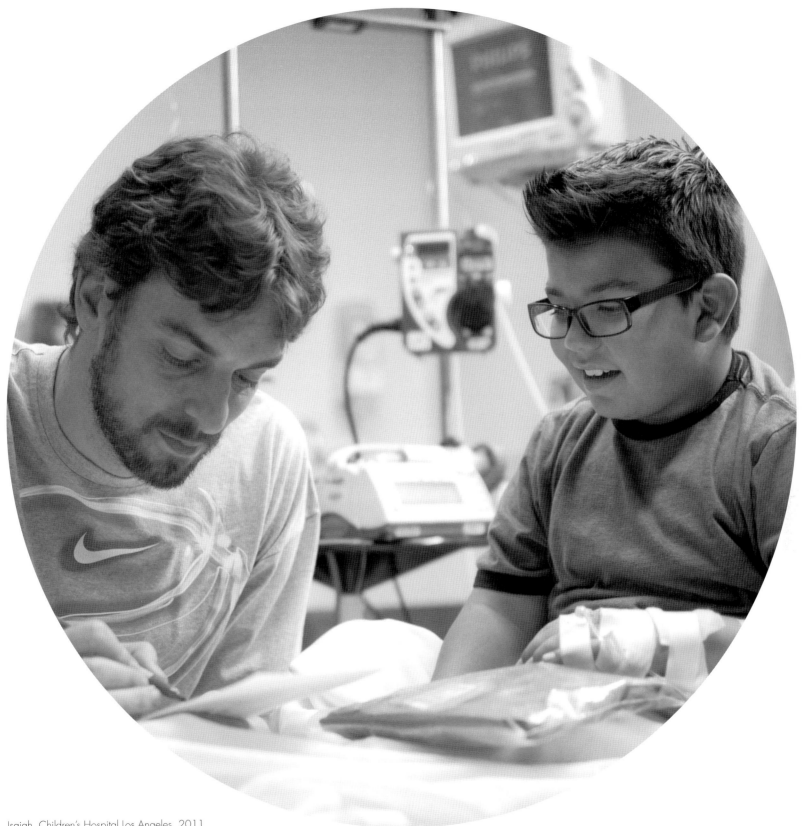

Isaiah, Children's Hospital Los Angeles, 2011

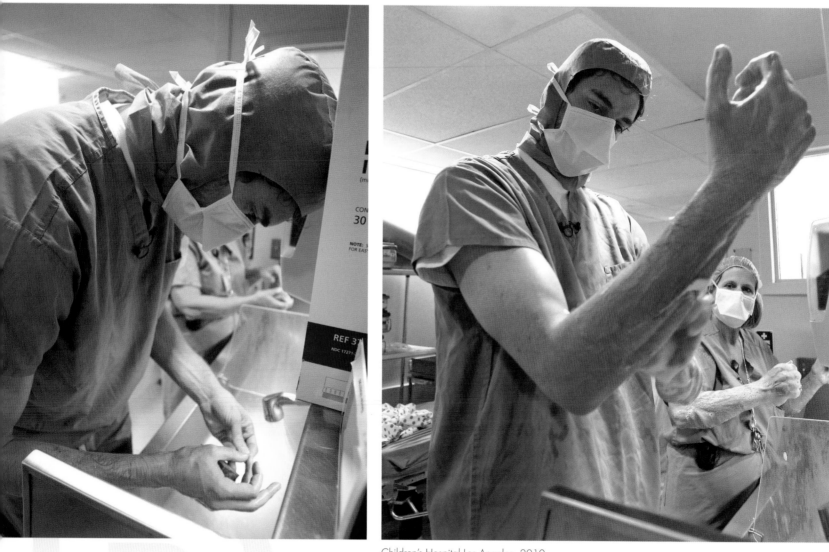

Children's Hospital Los Angeles, 2010

I told myself if basketball didn't work out, I could always go back to med school and study and take a shot at becoming a doctor. That's the way I processed it.

The challenge then became working hard every day to be a better basketball player and earn a spot with FC Barcelona's first team. That is a dream of many kids in Spain, and very few have made it come true.

Me dije a mí mismo que si el baloncesto no funcionaba, siempre podría volver a la universidad y seguir con mis estudios de Medicina e intentar llegar a ser doctor. Ese fue mi planteamiento.

El reto luego se convirtió en trabajar duro cada día para ser un mejor jugador de baloncesto y ganarme un sitio en el primer equipo del FC Barcelona. Eso es un sueño para muchos niños en España y muy pocos lo han podido hacer realidad.

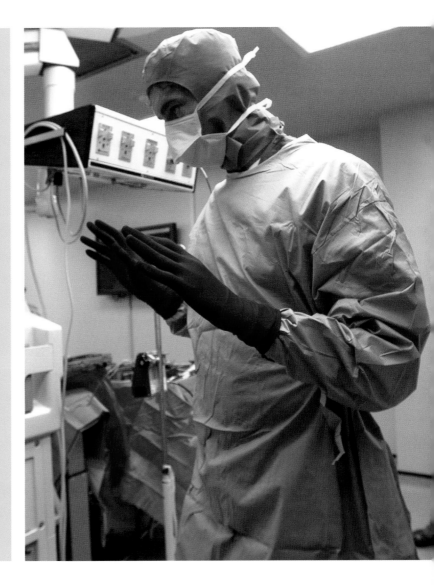

Today, I sustain and maintain my commitment to medicine by engaging with Children's Hospital Los Angeles, Hospital de Sant Joan de Déu, Barcelona, Hospital de Vall d'Hebron, Barcelona, St. Jude's Children's Research Hospital, Memphis, Tennessee, and University of California, Los Angeles, as well as organizations that support them.

I visit Children's Hospital Los Angeles several times a year. I spend time with sick children and try to cheer them up.

And because of the great relationship that we have and my intense interest, the hospital has allowed me to witness a few surgeries. Inside the operating room, I've watched a team of surgeons and nurses save the lives of several kids—something very common for them but amazing for me. It is a huge privilege.

Hoy, sostengo y mantengo mi compromiso con Children's Hospital Los Angeles, Hospital de Sant Joan de Déu, Barcelona, Hospital de Vall d'Hebron, St. Jude's Children's Research Hospital, Memphis, Tennessee, y University of California, Los Angeles, y con organizaciones quelos apoyan.

Visito el Children's Hospital Los Ángeles varias veces al año. Paso tiempo con niños que están enfermos y trato de animarlos.

Debido a la gran relación que tenemos y a mi interés, he tenido la oportunidad de presenciar varias operaciones. Presenciar lo que sucede dentro de un quirófano, donde he visto a un equipo de doctores y enfermeras salvar la vida de varios niños algo totalmente habitual para ellos pero alucinante para mí, es todo un privilegio.

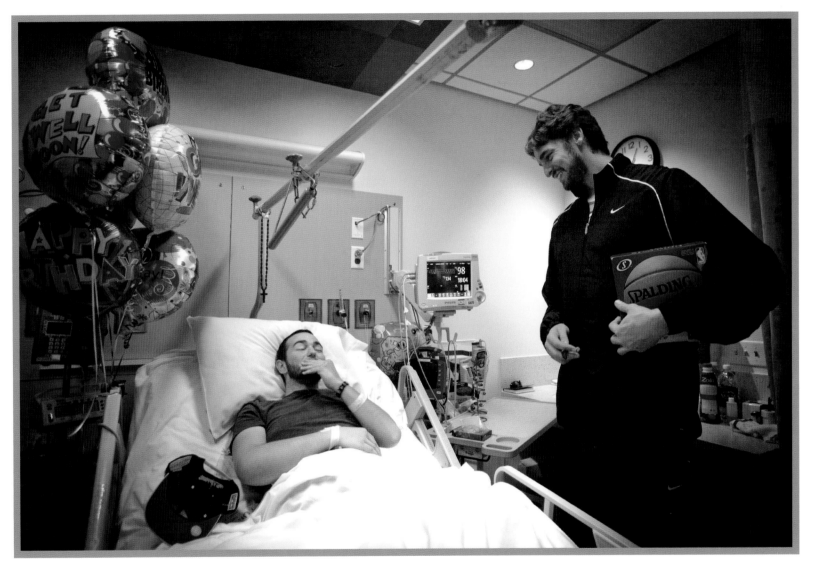

Gaspar, Children's Hospital Los Angeles, 2011

When I witnessed my first surgery, I didn't expect to be hands-on. They gave me the opportunity to be right next to the surgeon and put my hands— completely sterilized and with gloves on, of course— on the patient's skin while her back was open and they drilled into her spine. I had to take a moment and grasp everything that was going on, and I also had to get over the dizziness that I felt. Once I got over the initial shock, I was able to reposition myself. I found it humbling to witness the sacred act of a life being fixed. It was intense and fascinating at the same time.

Cuando observé la primera operación, no esperaba estar tan cerca de la acción. Me dieron la oportunidad de estar justo al lado del cirujano y poner mis manos, completamente esterilizadas y con guantes, por supuesto, en la piel de la paciente mientras su espalda estaba abierta y le perforaban la columna con un taladro especial. Tuve que sentarme unos minutos para asimilar todo lo que estaba sucediendo y que se me pasara el mareo que sentí. Una vez que me repuse del shock inicial, fui capaz de rehacerme mentalmente. Encuentro que es muy edificante poder ser testimonio de cómo se puede curar a un niño. Es intenso y fascinante a la vez.

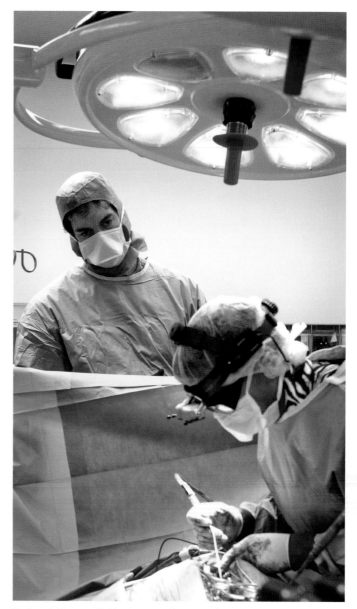

Dr. David Skaggs; Children's Hospital Los Angeles, 2010

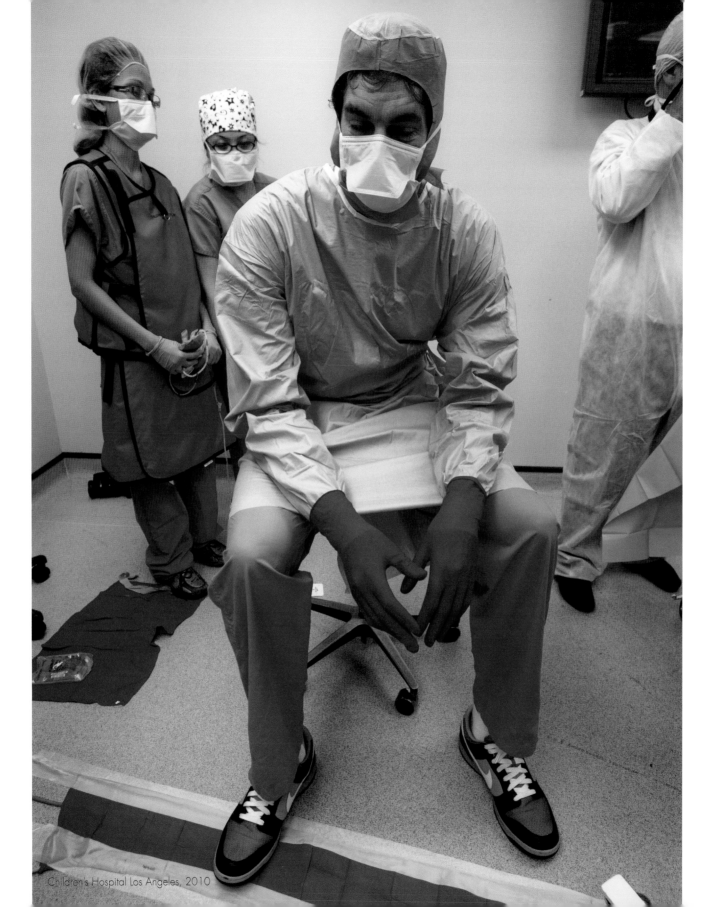

Children's Hospital Los Angeles, 2010

I also support the hospital by funding a fellowship program that I wanted to make a reality.

Doctors from Spain are able to complete their formation by coming to Los Angeles and learning from the great surgeons at CHLA. We have created this fellowship with the hospital in collaboration with the Spanish Pediatric Orthopedic Society. I funded it for the first two years. We hope this can be an ongoing program for many years to come.

That's my objective: to continue to promote people in the medical field and create awareness of the important job they do for society and our families.

También apoyo al hospital financiando un programa de becas que quería hacer realidad.

Doctores de España podrán completar su formación en el hospital, aprendiendo de los grandes cirujanos que tiene el CHLA. Hemos creado este programa de becas con el hospital, y con la colaboración de la Sociedad de Ortopedia Pediátrica de España. Lo he financiado los primeros dos años. Esperamos que este sea un programa que siga adelante durante muchos años.

Ese es mi objetivo: continuar promoviendo el sector sanitario y crear concienciación de la importancia del trabajo que hacen para la sociedad y nuestras familias.

Children's Hospital Los Angeles, 2010

FANS
AFICIONADOS

Barcelona, 2011

Fans are a big part of my life, of my success, of what I do, of why I do things, of why I have the type of life that I have.

My fans give me love and support through the good times and the bad times. These true fans don't just cheer me on when I am playing great and I'm at my best, but they also have my back when I'm injured or going through a tough stretch. They value me for who I truly am.

I'm thankful for those fans.

Mis seguidores son una gran parte de mi vida, de mi éxito, de lo que hago, del por qué hago las cosas, de por qué tengo el tipo de vida que tengo.

Mis fans me dan cariño y apoyo tanto en los buenos momentos como en los malos momentos. Estos seguidores fieles no solo me animan cuando las cosas me van bien y juego al más alto nivel, también me respaldan cuando estoy lesionado o cuando atravieso una mala racha. Me valoran por quién soy de verdad y lo aprecian.

Estoy agradecido por esos fans.

Hermosa Beach, California, 2010

Social media has opened a door to interact with fans in a way that wasn't possible before. It's very rewarding to me to have direct communication with fans, no matter where they are in the world.

I read their messages and field their questions. When I reply to some of their questions or comments, it's a way for me to say thank you, to show them that I care about what they have to say.

If I have time to reply to a few fans, even for a few minutes, I will. I always try to encourage people to be positive.

It's humbling to know that so many people have an interest in my life and my career. It's also a responsibility, because everything I share through my social networks can end up in any other media outlet. And even more importantly, children can have access to all of this information.

The fun thing about social media is that I can share a lot of my personal life so that fans have a chance to know me better.

It's amazing to have instant interaction with thousands, even millions of people.

Las redes sociales han abierto una puerta para interactuar con mis seguidores de una forma que antes no era posible. Es muy gratificante para mí tener esta vía de comunicación con mis fans, sin importar en qué parte del mundo se encuentren.

Leo sus mensajes y respondo a sus preguntas. Cuando contesto a algunas de sus cuestiones o comentarios, es una manera para mí de decir «gracias», de demostrarles que me importa lo que tienen que decir.

Si tengo tiempo de responder a algunos seguidores, aunque sea por unos minutos, lo hago—siempre intentando que la gente sea positiva.

Es emocionante saber que tanta gente tiene interés en saber de mi vida y mi carrera. Para mí también es una responsabilidad, porque todo lo que comparta a través de las redes sociales puede acabar publicado en cualquier otro medio de prensa. Y aún más importante, niños y niñas de hoy en día tienen acceso a toda esta información.

Lo divertido es que también puedo compartir mucho de mi vida personal y así mis fans tienen la oportunidad de conocerme mejor.

Es alucinante tener una interacción instantánea con miles, incluso millones de personas.

Madrid, 2011

Dodger Stadium, Los Angeles, 2010

My fans inspire me. I believe that positivity attracts positivity, so when I share with them positive messages, they give positive messages back to me.

Mis fans me inspiran. Pienso que la positividad atrae positividad, así que cuando comparto mensajes positivos, ellos también me los darán a mí.

Barcelona, 2011

El Segundo, California, 2011

San Francisco, 2011

joid'art

joid'art

NIKE
SPORTSWEAR
KNOW ORIGINATE
BATTLE & ELEVATE

Barcelona, 2011

216

Oracle Arena, Oakland, 2011

Not everyone can be cheerful and positive—it may not be in their nature—and that's okay. We all have our moments. But I embrace those fans who are genuinely supportive and show their admiration, even in adverse times.

No todo el mundo puede estar animado y de buen humor—puede que no sea su modo de ser—y eso lo entiendo, por supuesto, a sabiendas de que todos tenemos nuestros momentos. Pero valoro a esos fans que demuestran su apoyo y admiración de forma genuina, aunque el momento o lugar no sea el más fácil para hacerlo.

When thousands of fans wish me well and reinforce and encourage me as an athlete, I feel a lot stronger because I have people—beyond my family and closest friends—who have my back. That's an exhilarating feeling.

La sensación de estar en una cancha de baloncesto y tener a miles de personas que están animando, algunas veces a favor y otras en contra, como es normal, hace que por mi cuerpo fluya mucha fuerza y energía. Sobre todo cuando se juega en casa, tener todo ese apoyo —más allá de la familia y los amigos— es una sensación indescriptible.

Ezra; El Segundo, California 2010

One of my biggest fans whom I have formed a close bond is a little boy named Ezra with a prosthetic leg. He loves basketball and wished to meet me. A morning show on TV approached the Lakers to facilitate an introduction. They would bring a camera and it would be a surprise to him.

We met at Staples Center in Los Angeles right before a game. I walked in the room, picked him up, and hugged him. From that day on, we've developed a close friendship. We see each other a couple times every year, at my home or his family's place. We always spend very fun moments together.

He's a great kid who is full of life. He loves to watch basketball almost more than I do. Every time we hang out, we play basketball, watch basketball, talk basketball. It's his passion and his love.

His spirit is very contagious and uplifting to me. He lights up a room by his mere presence. He is truly inspiring!

Uno de mis mayores admiradores, con el que he establecido un estrecho vínculo, es un niño pequeño, con una pierna protésica, llamado Ezra. Él ama el baloncesto, así que fue el deseo de sus padres que nos conociéramos. Un programa de televisión de las mañanas contactó con los Lakers para facilitar nuestro encuentro. Ellos traerían una cámara y sería una sorpresa para él.

Nos conocimos antes de un partido en el Staples Center. Entré en la sala, lo levanté, y lo abracé. Desde ese día en adelante, hemos desarrollado una bonita amistad. Nos vemos a menudo—cada temporada quedamos un par de veces o en mi casa o en la de su familia. Siempre pasamos momentos muy divertidos juntos.

Es un gran chico lleno de vida. Le encanta ver partidos de baloncesto, casi más que a mí. Cada vez que nos vemos, jugamos a baloncesto, vemos baloncesto, hablamos de baloncesto. Es su pasión y su amor. Su espíritu es contagioso y me inspira.

Es capaz de iluminar el solo una habitación.

I have the best fans.
Tengo los mejores fans.

Ezra; El Segundo, California, 2010

CHALLENGES
RETOS

Los Angeles, 2011

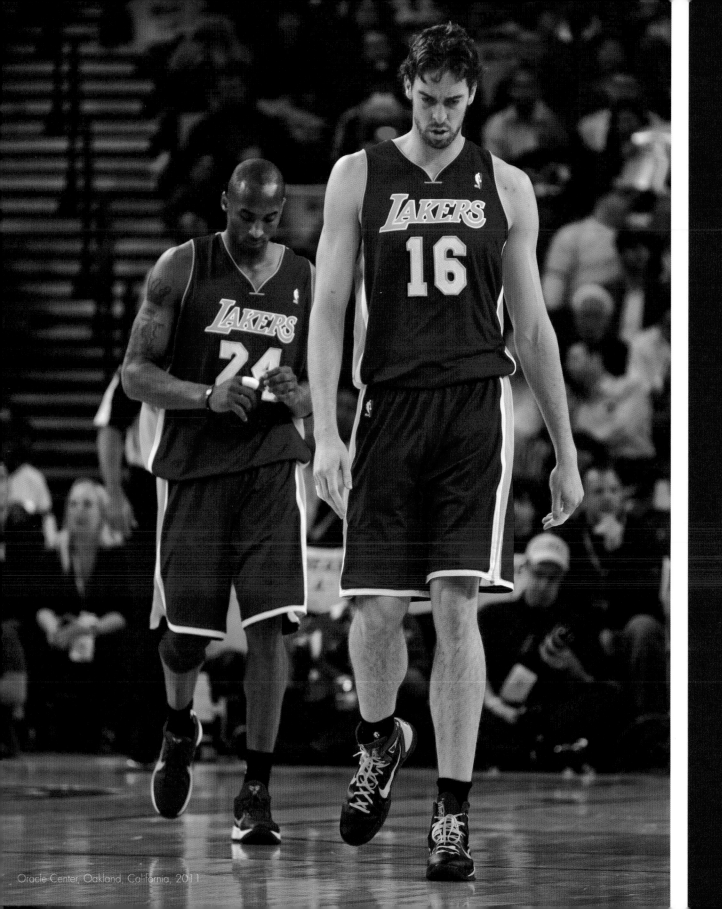

Oracle Center, Oakland, California, 2011

Everything happens for a reason. It's how you handle things and react that matters in life and defines you.

The last two NBA seasons have been challenging and difficult. The constant trade rumors, injuries, and coaching changes—from Phil Jackson to Mike Brown, from Mike to Bernie Bickerstaff, and from Bernie to Mike D'Antoni—have been a lot to take in.

But life is all about ups and downs. I try not to get too high on the ups and not to go too low on the downs. I always try to stay on a pretty straight line so I can keep myself balanced and calm.

It's all a learning process. I continue to learn as I move forward with my life. Every experience is an opportunity to grow as an individual, to make myself stronger and wiser.

I also never forget how fortunate I am, and that helps me to stay positive.

Staples Center, Los Angeles, 2011

Todo pasa por alguna razón en la vida. Es cómo manejas y reaccionas ante las cosas lo que importa y te define.

Las últimas dos temporadas han sido desafiantes y difíciles. Los constantes rumores de traspasos, las lesiones y los cambios de entrenador—de Phil a Mike Brown, de Mike a Bernie, y de Bernie a Mike D'Antoni—han sido mucho que asimilar.

Pero la vida es un cúmulo de altibajos. Intento no acomodarme en los momentos álgidos, ni tampoco hundirme cuando las cosas no van bien. Siempre intento mantenerme en una línea bastante recta para poder conseguir un estado de equilibrio y calma.

Es todo un proceso de aprendizaje. Continúo aprendiendo a medida que avanzo en la vida. Cada experiencia es una oportunidad para crecer como individuo, para hacerte más fuerte y más sabio.

Tampoco olvido nunca lo afortunado que soy, y eso siempre me ayuda a mantenerme optimista.

Los Angeles, 2013

Los Angeles, 2012

Los Angeles, 2010

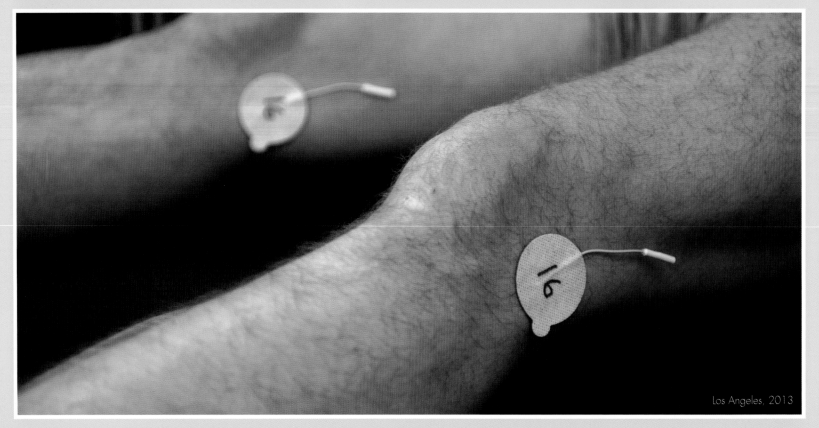
Los Angeles, 2013

What's an injury? What's a trade rumor or a potential change of teams? What's it like to play for a coach who doesn't believe in me or trust my abilities 100 percent? What's the criticism that I may get at times for not accomplishing what's expected?

To me, those are little bumps in the road. They are part of my profession and position, but they will pass, and the next day is a new day. When I look at the big picture and put things in perspective, I ask myself, "Are they really that hard?" I don't think so.

Fortunately, I have a great family, and I have great friends. They are strong pillars that hold me up when I struggle to do so myself.

I also like to read a lot, so I absorb the knowledge and experiences from people who have faced adversity in their lives. It reminds me that there are millions of people who are going through, or have gone through, much tougher times than me. It humbles me.

Criticism doesn't really get to me. It's not pleasant to be criticized, but it's a part of my job and I understand it. It's important to comprehend that journalists have a job to do, even if sometimes I don't agree with what is said.

It's always nice to get compliments and be talked about well, but just like the criticism, I don't really pay that much attention to it anymore. During the early years of my career, I used to. Now, if I happen to read or hear something, it doesn't stick. Tomorrow is a new day.

¿Qué es una lesión? ¿Qué es un rumor de traspaso o la posibilidad de cambiar de equipos? ¿Cómo es el hecho de jugar para un entrenador que no confía en mi capacidad al cien por cien? ¿Qué significado tiene recibir críticas a veces por no llegar a lo que es esperado?

A mi parecer son pequeños baches en el camino, son parte de mi profesión y posición, pero son pasajeros y el día siguiente es un nuevo día. Pensando a gran escala y poniéndolo todo en perspectiva, ¿son realmente tan difíciles? Yo pienso que no.

Afortunadamente, tengo una gran familia, tengo grandes amigos. Son pilares fuertes que me dan apoyo cuando atravieso momentos de dificultad.

También me gusta leer mucho y así absorbo el conocimiento y experiencias de personas que han afrontado la adversidad en sus vidas. Me recuerda que hay millones de personas que están atravesando, o han atravesado, situaciones mucho más duras que las mías.

Las críticas no me afectan. Está claro que no es agradable que te critiquen, pero es parte de mi trabajo y lo entiendo. Es importante comprender que los periodistas tienen un trabajo que hacer, aun a sabiendas de que a veces no estaré de acuerdo con lo que se diga.

Siempre sienta bien recibir halagos y que hablen bien de ti, pero, al igual que con las críticas, ya no suelo prestar atención a lo que se dice en la prensa. Durante los primeros años de mi carrera solía hacerlo, pero ahora, cuando leo o escucho algo, no me influye. Mañana es un día nuevo.

I do pay attention to my fans through social networks, which have allowed me to interact with them and develop a closer relationship. I appreciate those who are positive and encouraging. Those are the people I want to have around. But I also understand there are people who are upset or dislike me, so their comments or remarks are not going to be constructive or positive. There are all types of people out there, and being in the public eye, I have to realize that not everyone is going to be on my side.

One criticism arises from stereotypes of athletes: that we need to be aggressive; that all athletes should have great strength and toughness, and, for the most part, no brains. I don't really feel like I fit that stereotype.

Sí que presto atención a mis seguidores y las redes sociales. A través de ellas puedo interactuar y tener una relación más cercana con todos ellos. Aprecio a aquellos que son positivos y alentadores. Esa es la clase de personas que me gusta tener alrededor. Pero también entiendo que hay personas que están enfadadas o a las que no les gusto, y que sus comentarios u opiniones no van a ser constructivos ni positivos. Hay todo tipo de personas en este mundo y, al estar sometido a la opinión pública, tuve que entender que no todos van a estar de tu lado.

Existe una crítica generalizada que es intrínseca en el baloncesto profesional: que tenemos que ser agresivos, que todos tenemos que tener una gran fuerza y dureza física, y por regla general poco cerebro. Yo no creo que encaje en ese estereotipo.

Dr. Donald Boger; Los Angeles, 2011

I am myself. I'm extremely proud of my qualities and my gifts. I'm very competitive and I can be aggressive when I need to be. I can be very physical, but it's not my first instinct. It won't come out naturally when I'm at peace and calm. It emerges when I'm competing, when I'm challenged, and when I feel like it's a win-or-lose situation.

Soy yo mismo. Estoy muy orgulloso de mis cualidades y mis virtudes. Soy muy competitivo y puedo ser agresivo cuando necesito serlo. Puedo ser muy físico pero no es mi primer instinto. No saldrá de manera natural cuando estoy tranquilo y calmado. Sí que sale cuando compito, cuando estoy en una situación que lo requiera, cuando me estoy jugando ganar o perder un partido.

Barcelona, 2011

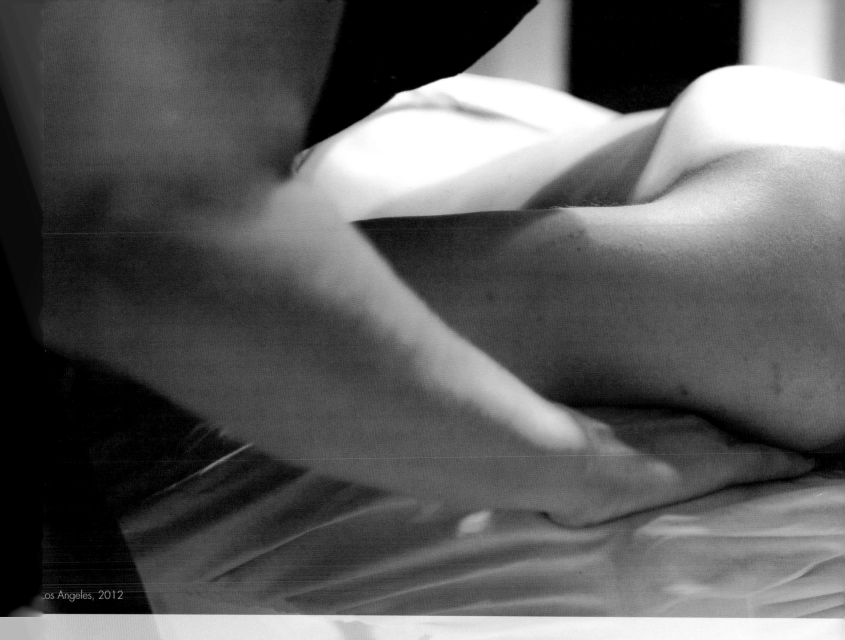

Los Angeles, 2012

I feel like I'm evolving. Things change and that's why I have to adjust. I can't just get stuck on the way things used to be or how my body used to feel. I have to understand where I am, what my body needs, and how much harder I have to work in order to continue to perform at the highest level.

I feel I can play for more years—hopefully many more. Even knowing that my career will end at some point and that there are events beyond my control, like injuries that could affect my ability to play, I think that as long as my mind and my heart are into it, I will continue to play. I love the game and I have fun playing it. It's my passion; it's what I do best. I feel strongly about maximizing the time I can stay at the top doing what I love to do—playing basketball.

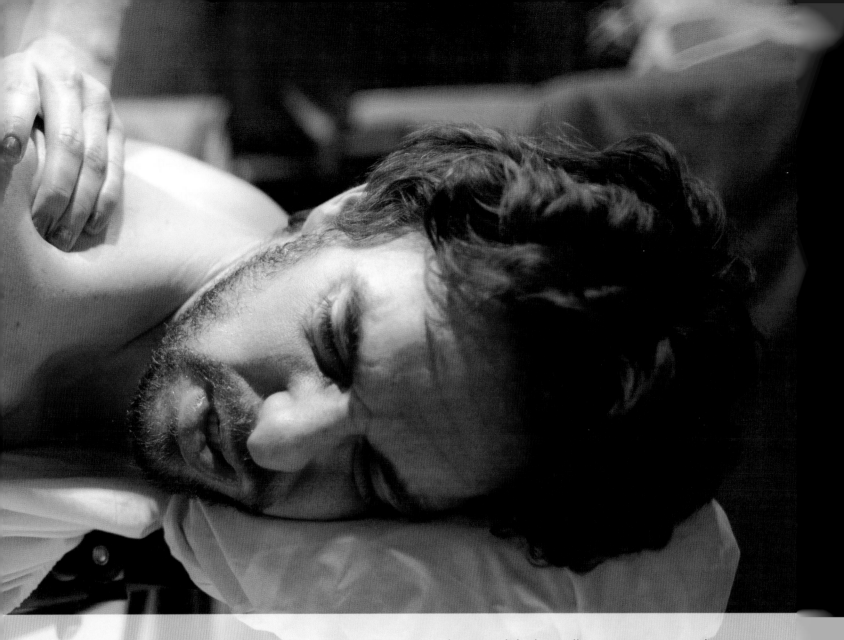

Siento que evoluciono con el paso de los años. Las cosas cambian, y debido a ello me tengo que adaptar. No me puedo quedar estancado en cómo solían ser las cosas o cómo mi cuerpo se solía sentir. Tengo que entender donde estoy en cada momento, lo que mi cuerpo necesita y que tengo que trabajar aún más duro para seguir jugando al máximo nivel.

Siento que aún puedo jugar más años, espero que sean unos cuantos más. Aún a sabiendas que mi carrera terminará en algún momento, y que hay factores que uno no puede controlar, como las lesiones que pueden afectar mi habilidad para el juego, creo que mientras mi mente y mi corazón lo deseen, continuaré jugando. Amo este deporte y disfruto jugando. Es mi pasión; es lo que mejor se me da. Tengo una gran determinación en maximizar los años que pueda competir en lo más alto haciendo lo que más me gusta: jugar a baloncesto.

Confidence is a big factor in what I do. One moment, I'm this athlete who is on top of the world, with all this recognition and money, feeling like nothing can stop me. But if I break a bone in my foot, have a bad sprain, or have to undergo a surgery, in an instant, I'm unable to do daily things on my own. I need help to go to the bathroom. I need help to get in the shower. I need help to carry stuff. Those times make me see that health is the most important thing I can have. Everything else is secondary. Without health, life changes dramatically.

Facing defeat in certain championship moments of my career is also humbling. It tests me and forces me to grow, to get up, and get better. I'm going to fall more than a few times during the course of my life, but it is all about getting up and giving it another shot, and being more prepared for the next opportunity. Losses are always a time for reflecting, analyzing what happened and what went wrong, and then seizing the opportunity to work even harder and grow from the experience.

La confianza es un factor fundamental en lo que me dedico. Un día, soy un deportista que está en la cima del mundo, con todo el reconocimiento y dinero, capaz de cualquier cosa; pero si me fracturo un hueso, tengo un esguince grave o tengo que pasar por quirófano, en un instante soy incapaz de hacer las cosas más sencillas por mí mismo. Necesito ayuda para ir al baño, necesito ayuda para meterme en la ducha, necesito que me ayuden a llevar cosas de un lado a otro. Estos momentos me hacen comprender que la salud es la cosa más importante que puedo tener. Todo lo demás es secundario, sin salud la vida cambia dramáticamente.

Afrontar la derrota en ciertos momentos claves de mi carrera también ha supuesto una cura de humildad. Son momentos que me fuerzan a crecer, a levantarme y a mejorar. Me voy a caer en el curso de mi vida unas cuantas veces pero lo fundamental es que sea capaz de levantarme e intentarlo de nuevo, preparándome a conciencia para la próxima oportunidad. Las derrotas siempre otorgan un momento de reflexión, de análisis de lo que ha ocurrido, y lo que fue mal, y luego la oportunidad de ponerse a trabajar más duro y crecer de la experiencia.

Los Angeles, 2012

When I succeed, I reach the highest level of happiness and excitement. I'm just thrilled about everything. It gives me so much joy to achieve that final success and goal. It's also a time when I go back and reflect on all the hard work that I've had to put in to get to this moment. It's a great feeling when all that work has paid off.

When I fail to reach my goal, as a team or as an individual, I invest more time examining why it happened. What did I do? What didn't I do? I try to go back as far as I can and examine every little detail to figure out why things didn't work out.

In those moments, I like to get away to analyze and refuel. It may take a little time to get past it, so it helps when I take a break and get myself centered again.

Because I'm so demanding of myself and I want to win and do my best, it's painful when I don't reach my goal and it takes me a little time to flip the page.

Cuando consigo el triunfo, siento que soy el hombre más feliz del mundo. La sensación de haber llegado a la cima con tu equipo es una sensación inigualable. Haber alcanzado el máximo objetivo es un momento de satisfacción enorme. Es entonces cuando también pienso en todo el trabajo que he tenido que hacer para poder llegar a este punto. Valoro el éxito mucho más cuando el sacrificio y el trabajo han sido grandes.

Pero cuando no consigo llegar a mi objetivo, tanto de equipo como individual, invierto más tiempo reflexionando en por qué ha pasado. ¿Qué hice? ¿Qué no hice? Intento remontarme al inicio de temporada y pienso en cada pequeño detalle que me pueda indicar por qué no lo hemos conseguido esta vez.

En esos momentos, me gusta desconectar para analizar y cargar pilas. Puede que tarde un tiempo en dejarlo atrás, así que me ayuda hacer un paréntesis y volver a centrarme otra vez.

Pero, como soy tan exigente conmigo mismo y quiero ganar y dar lo mejor de mí, cuando sé que no lo he conseguido, es doloroso y tardo un poco en pasar página.

Redondo Beach, California, 2013

I believe that life is a set of waves that we ride out. There are days when everything is going to be great and I'm going to be on top of the wave, and there are going to be days when I'm going to be down. But I will be back up again. Practicing mindfulness and connecting with nature help me ride those waves.

There are times when I'm sad or crushed, but I try to make those moments last just long enough for me to learn from that particular experience and understand that there's not always going to be a logical explanation.

I don't dwell on the negatives, but I don't ignore them. I have to know why things happen and understand that certain things will be out of my control. But I always find the positive side in each of them.

I've always been a glass-half-full kind of person. I think we have to be real optimists. I always look for the positives in each experience. It may be hard to see it at times because of how I feel or what I'm going through, but it's there.

I am proud of how I handled the situation when I was pretty much traded and then the trade was blocked, and how I dealt with the constant uncertainty after that moment. I tried my best to focus on the big picture and not allow frustrations to take over my emotions.

I was able to put everything in perspective and remind myself that I was fortunate to have played for the Lakers, to have won two championships, and to be part of the team. I still have a desire to be a part of it—not just the team, but the city and the fans—part of everything that is related to a franchise that has given me so much. It's not all positive, but it's pretty great.

At the end of the day, I'm a professional and I understand there's a cold side of the business. But I'm still in an amazing position no matter where I play. I've had an incredible career, up to this point, and nobody can take that away from me, regardless of what happens tomorrow.

Challenges are part of life. And hard times build character and personality, and make me grow. Sometimes they can be a wake-up call.

Creo que la vida es un cúmulo de olas por las que vamos navegando. Habrá días en los que todo irá de maravilla y me encontraré encima de ola, y va a haber otros en los que estaré abajo, pero me levantaré para seguir dando lo mejor de mí. Meditar y conectar con la naturaleza me ayuda a calmar esas olas.

Hay momentos en los que estoy triste o tocado, pero intento que esos periodos duren lo justo para que pueda aprender de esa experiencia particular y entender que no siempre hay una explicación lógica para todo.

No me obceco en lo negativo, pero tampoco puedo ignorarlo. Tengo que saber la causa de lo que ha sucedido y que hay ciertas cosas que van a ocurrir que están fuera de mi control, siempre buscando el lado positivo en cada una de ellas.

Siempre he sido una persona que ve el vaso medio lleno. Creo que tenemos que ser optimistas. Me gusta buscar lo positivo de cada experiencia. Puede que sea difícil de encontrar a veces debido a mi estado de ánimo o el momento que esté atravesando, pero está ahí.

Estoy orgulloso de mi forma de llevar la situación en aquella temporada en que estaba virtualmente traspasado a otro equipo de la NBA, antes de que el traspaso fuera bloqueado, y de cómo llevé la incertidumbre de ese momento. Intenté concentrarme lo mejor que pude en el día a día y no dejar que la frustración se viera reflejada en mi estado de ánimo.

Fui capaz de poner la situación en perspectiva y me dije a mí mismo lo afortunado que era de haber jugado en los Lakers, de haber ganado dos anillos, de aún ser parte del equipo. Aún tengo el deseo de ser parte de él —no solo del equipo, sino también de la ciudad, los aficionados y todo lo que tenga que ver con esta plantilla que tanto me ha dado—. No todo ha sido perfecto, pero nada lo es.

Al final del día, soy un profesional y entiendo que hay un lado frío en este negocio. Aun así, disfruto de una posición privilegiada independientemente del lugar donde juegue. He tenido una carrera profesional increíble hasta este punto, y eso nadie me lo va a poder quitar.

Los retos son parte de la vida. Y los tiempos difíciles forman el carácter y la personalidad, y te hacen crecer. A veces son un toque de atención.

The end of the 2011 season was one of those difficult times. I was going through some family issues that clearly affected me. It was a lot to deal with at the time. I wasn't able to shake it off, and as much as I tried, my heart and my mind were not in the right place to do what I'm used to doing on the basketball court.

I might encounter some messed-up situations that I would prefer to not have to go through, but that's not how life works. Life is not perfect—and it's not meant to be perfect.

Taking into account the imperfection of our human nature, I'm a big believer of being happy with what I have. I don't mean being content and settling for less, but embracing and appreciating the present, the people you love and who love you, the opportunity to help others, and to be a better person.

I have good family unity and close friends from many years. I don't need twenty friends. There's no such thing. It's unrealistic. As long as I have a good nucleus of people surrounding me, I will be okay, because I know they will be there for me when I need them.

That's what I enjoy about the journey of life. I understand things better, and my desire to learn and improve as I move forward continues.

El final de temporada del 2011 fue uno de esos momentos difíciles. Pasé por unas circunstancias familiares que me afectaron claramente. Fue mucho para mí. No pude dejarlo a un lado. Por mucho que lo intenté, mi corazón y mi mente no estaban en el sitio en que tenían que estar para que pudiera jugar al nivel a que yo estaba acostumbrado.

Puede que tenga que afrontar situaciones complicadas que preferiría no tener que experimentar, pero la vida no funciona así. La vida no es un cuento de hadas y no está hecha para ser perfecta.

Teniendo en cuenta la imperfección de nuestra naturaleza humana, soy un firme creyente en ser feliz con lo que tengas. No quiero decir conformarse con poco, sino abrazar y apreciar el presente, las personas que quieres y que te quieren, la oportunidad de ayudar a los demás, de ser mejor persona.

Tengo una buena unidad de familia y un buen grupo de grandes amigos desde hace muchos años. No necesito veinte amigos. Tal cosa no es real. Mientras tenga un buen núcleo de gente a mi alrededor, estaré bien, porque sé que ellos estarán ahí cuando los necesite.

Eso es lo que disfruto del viaje de la vida. Entiendo mejor las cosas y mi deseo de aprender y mejorar como persona, a medida que avanzo, continúa.

I have to be open enough to listen to the people who love me and care for me, and allow them to help me no matter how successful I've been or am.

I am human, and I go through good and bad stretches. It's good to be surrounded by loving and positive influences in my life so they can boost me up when I need it, by people whose true interests are not just their well-being, but mine, too.

But I also have to be willing to listen. Sometimes I've listened, sometimes I haven't. I heard, but I didn't pay attention. I always thought that I had enough to overcome any tough time or struggle. I realized with time that there are different situations when I need help from the people who are around me. I have to be strong enough to allow that to happen and understand that I'm not invincible.

Tengo que ser lo suficientemente abierto para escuchar a las personas que me quieren, a las que les importo, y permitirles que me ayuden sin que importe el éxito que haya alcanzado o que pueda tener.

Soy humano, tengo mis rachas—buenas y malas— y es bueno rodearse de influencias positivas en mi vida para que me den un empujón cuando lo necesite. Personas cuyo verdadero interés sea mi bienestar y no únicamente el suyo.

Pero tengo que estar dispuesto a escuchar. Algunas veces lo he hecho, otras no. He oído, pero no he prestado atención. Antes creía que yo solo me valía para poder superar cualquier situación difícil. Con el tiempo, me he dado cuenta de que ha habido diferentes momentos en los que he necesitado ayuda de personas cercanas. Tengo que ser lo suficientemente fuerte para permitir que eso ocurra y entender que no soy invencible.

Los Angeles, 2013

Staples Center, Los Angeles, 2013

No matter how strong I think I am, I have to let in the people who truly care about me. I must be humble and say I can't do this by myself—I could use your help.

No importa lo fuerte que crea que sea. Tengo que dejar entrar a las personas que realmente se preocupan por mí. Debo ser humilde y aceptar que no puedo hacer esto yo solo, que puedo utilizar tu ayuda.

EYOND BASKETBALL
ESPUÉS DEL BALONCESTO

Hermosa Beach, California 2010

A couple of scenarios play out in my mind when I think about life after basketball.

One: I will be forced to leave the game, which hopefully won't happen, but I'm aware that it is a possibility.

Two: I will not be physically or mentally capable of playing the game the way I used to.

It's going to be a difficult time, regardless, because basketball is something I've done for so long. I will probably try to stick around for as long as I can, but it's all going to be determined by my mind, my heart, and my body.

Hopefully, I will be as ready as possible for that critical time.

En mi mente hay un par de escenarios cuando pienso en mi vida después del baloncesto.

Uno: que me veré forzado a dejar de jugar, que espero que no suceda, pero a la vez comprendo que es una posibilidad.

Y dos: que no sea físicamente o mentalmente capaz de jugar de la forma a la que estoy acostumbrado y que me ha hecho disfrutar tanto de mi deporte.

Va a ser un periodo difícil de todos modos, porque jugar a baloncesto es algo que he hecho durante mucho tiempo y además me encanta. Intentaré prolongar mi carrera todo lo que pueda, siempre trabajando para hacerlo al máximo nivel, pero eso va a venir determinado por mi mente, mi corazón y mi cuerpo.

Espero estar preparado para ese momento crítico en la vida de cualquier deportista profesional.

El Segundo, California, 2012

Barcelona to Madrid, 2011

I have so many desires and goals that I want to accomplish after basketball. I'm actively setting up some things for after I retire, so I can dedicate myself to them.

I want to bring one of Spain's biggest assets to the United States, which is its food. I want to make the best products from Spain available here for people to enjoy.

I want to build the Gasol Foundation into something really special, so that it will have an international impact and help as many kids as possible. What I do off the court for the kids and the communities I visit is most meaningful to me at the moment.

I think I will always do something related to sports. I am looking at ways to be attached to the game in some way because I will always have a special connection to it.

Tengo muchos deseos y proyectos que me gustaría cumplir después del baloncesto. Llevo tiempo invirtiendo horas y aprendiendo para que después de que me retire pueda involucrarme en proyectos que sean productivos y disfrute participando en ellos.

Quiero contribuir en ayudar a la presencia de uno de los valores más importantes de España en los Estados Unidos, su comida. Me gustaría que los mejores productos españoles estuvieran disponibles en los EUA para que la gente pueda aprender más sobre ellos y disfrutarlos al mismo tiempo.

Estamos construyendo la Fundación Gasol. Queremos que sea realmente transcendente, que tenga un impacto global y podamos ayudar a tantos niños y niñas alrededor del mundo como nos sea posible. Lo que hago fuera de la cancha por la infancia y las diferentes comunidades es de una importancia enorme para mí.

Y pienso que siempre haré algo relacionado de alguna manera con el deporte. Estaré abierto a formas de estar involucrado en el deporte, en el baloncesto, porque siempre voy a tener una gran pasión por ello y una profunda conexión imborrable.

Who knows what opportunities will come up, whether they are in the U.S., Spain, or somewhere else? Whether it's being a team manager? I never thought I would say this, but I think my knowledge of the game is valuable and usable as a coach. But I don't know if I will want to pursue coaching, because I also dream about raising a family.

I look forward someday, after all the craziness is over, to creating a family. That will be very important in my life. I haven't done it, yet, because basketball is so demanding. When I have a family, I intend to approach it with dedication and responsibility.

Then I will just do some things I enjoy because luckily, I've made a comfortable living through basketball and I've been smart with my money and investments.

¿Quién sabe qué oportunidades vendrán en un futuro, y si serán en los Estados Unidos, o en España o en otro lugar del mundo? ¿Y como director deportivo de un equipo? Nunca pensé que llegaría a decir esto, pero ¿podría considerar convertirme en entrenador? Pienso que mi conocimiento del juego tiene valor y podría ser útil. Pero quién sabe si querré dedicarme a entrenar, ya que también me gustaría cambiar de ritmo de vida y poder formar una familia.

Tengo muchas ganas de que llegue el día, una vez que toda esta locura quede atrás, de formar una familia. Ese será un momento muy importante en mi vida. Dicen que tener hijos es lo más especial que puedes experimentar en tu vida, y tengo mucha ilusión por hacerlo. Es algo que aún no he vivido. Si tengo descendencia, le dedicaré todo el tiempo y responsabilidad necesarios.

Luego me gustaría hacer cosas que me hagan disfrutar, porque por suerte tengo una situación económica cómoda gracias al baloncesto, y he sido precavido y conservador con mis inversiones.

Barcelona, 2011

Picturing myself at one of the last moments of my life, it would be nice to have lived a long, healthy, happy life with a loving family who loves me for who I am; and that I was able to share experiences and values that I believe in that are going to help them through life. That would be a privilege.

Imaginándome siendo un anciano que ha vivido gran parte de su vida, sería bonito haber vivido una vida larga, saludable y feliz. Tener una familia que me quiere por cómo soy; y ser capaz de enseñarles muchas cosas y de compartir muchas experiencias y valores, y cosas en las que creo, y que confío en que les serán de mucha ayuda a lo largo de sus vidas. Ese sería un verdadero privilegio.

Redondo Beach. California, 2013

I want to just live my life by my standards, by my principles, and know that I made a difference and that I built a legacy and a life that I was proud of. I want to know that I helped make people's lives better...

Quiero vivir mi vida de acuerdo con los principios y valores que aprendí desde pequeño; y saber que pude marcar diferencias y que construí un legado del que puedo estar orgulloso. Saber que he podido ayudar a hacer mejores las vidas de los demás...

or at least I tried.
o que al menos lo he
intentado.

Hana; Children's Hospital Los Angeles, 2011

BEHIND THE LENS
DETRÁS DE LA CÁMARA

4 years. 2 countries. 12,000 photos
The story behind the images
Impressions by photographer Lori Shepler

4 años, 2 países, 12,000 fotos
La historia detrás de las imágenes
Impresiones de la fotógrafa Lori Shepler

FAMILY FAMILIA

His grandmother's apartment is sparsely decorated, save for the many posters and pictures of Pau.
El piso de la abuela está decorado de forma muy modesta. Guardando espacio para posters y fotos de Pau.

He's very close to his little brother. Adriá lived with him for a bit before moving into the dorms at UCLA.
Tiene mucha relación y mucha cercanía con su hermano pequeño. Adriá. vivió un tiempo con él antes de irse a vivir a los dormitorios de la universidad en UCLA.

His dad is very considerate and does a lot—cooks, cleans, and washes the dishes. He's very caring and very involved.
Su padre hace muchísimas cosas en casa: cocina, limpia, lava los platos... Les cuida mucho a todos y está muy involucrado en sus vidas.

I was touched by all the handmade gifts they exchanged at Christmas.
Me quedé impresionada con todos aquellos regalos hechos por ellos mismos, que intercambiaron por Navidad.

BASKETBALL BALONCESTO

They're very matter-of-fact when they face each other. They shake hands and they play hard.
Cuando se encuentran en la pista todo se reduce a la tcompetición. Se saludan, se dan la mano, y luego juegan duro.

In the locker room before the games, it's very quiet. Everyone gets mentally prepared in his own way.
Antes de los partidos, en el vestuario, todo es muy tranquilo. Todos se preparan a su manera.

I'm always so nervous when I see LoLo run alongside Pau because he's smaller than Pau's feet. But LoLo loves to sit in his lap and be held.
Siempre me pongo muy nerviosa cuando veo a Lolo corriendo alrededor de Pau. Es muy muy pequeño a su lado! Pero a Lolo le encanta sentarse en su regazo y que le tenga cogido todo el rato.

Just hours after the Lakers tried to trade Pau for Chris Paul, the Lakers told him he needed to get tests done before he could start the season. He slipped out the side door, away from all the media, and let me ride with him to the clinic. The whole drive over there, he talked about the trade over the phone with his brother, Marc. When he went into the room to get the EKG and treadmill tests, they had posters of the Lakers championship win in 2010 on the wall. It was a tough moment.
Pocas horas después de que Lakers tratarán de traspasar a Pau por Chris Paul, Lakers le comunicaron a Pau que tenía que hacerse los tests médicos antes de empezar la temporada. Salió por una puerta lateral, sin el seguimiento de los medios, y me dejó ir con él a la clínica. Estuvo todo el rato hablando del traspaso con su hermano Marc. Cuando entró en la sala para hacerse las pruebas, había fotos del campeonato que ganaron los Lakers en el 2010 en la pared.Fueron momentos difíciles.

MUSIC MUSICA

I never imagined I'd be taking a picture of Pau Gasol in the shower.
Nunca podría haber llegado a imaginar que tomaría una foto de Pau en la ducha.

He plays the piano quite well!
Toca el piano bastante bien!

This was the most romantic moment of this whole project. He sang the song "Falling Slowly" to Silvia López and I was so impressed.
Este fue el momento más romántico de todo el proyecto. Cantó 'Falling Slowly' a Silvia López y me quedé muy impresionada.

They went into a back room and whispered in Spanish while lots of people waited outside the door. Pau and Plácido Domingo are bonded by their interest in music.
Entraron en una habitación y susurraron en español, mientras fuera había una multitud de gente esperando. Plácido y Pau están unidos por su interés por la música.

The elevator in his house is so small that it barely fits two people. We would joke about getting stuck in it!
El ascensor de su casa es tan pequeño que a penas caben dos personas. Bromeábamos sobre la posibilidad de quedarnos colgados!

Pau flew in his favorite band from Spain, Estopa, to perform at his NBA All-Star party in L.A.
Pau quiso que Estopa, su banda preferida de España, y buenos amigos, vinieran para tocar en su fiesta del All Star de los Angeles.

He took this opportunity seriously, even in the rehearsal, and got a standing ovation!
Tomó la oportunidad muy en serio, incluso en los ensayos, y acabó con una sonada ovación.

FOOD COMIDA

I was surprised to see the Ibérico ham on his kitchen counter. I lived overseas for 10 yrs when I was young and had never seen anything like that. I love learning new things about different cultures.
Me sorprendí al ver el jamón Ibérico en su cocina. Viví en el extranjero durante 10 años, siendo más pequeña, y nunca había visto algo así. Me encanta aprender cosas nuevas sobre las diferentes culturas.

He made the cannelloni himself Christmas Eve. It was delicious! His oven mitts weren't thick enough to withstand the heat from the casserole dish.
Acabó de cocinar los canelones él mismo Nochebuena. Eran deliciosos! Las agarraderas no eran suficiente para que no se quemara al coger la fuente del horno.

He likes to go to specialty markets and buy healthy foods.
Le gusta ir a supermercados en los que puede comprar comida sana.

He's meticulous when he cooks. He was very careful cracking the egg so it didn't break.
Es bastante meticuloso a la hora de cocinar. Al abrir los huevos es muy meticuloso para que no se rompan del todo.

Pau's dog, LoLo, follows him around everywhere!
Su perro, Lolo, le sigue allà a donde va.

He sat at the head of the table and carried the conversation. He made sure all the guests' drinks were topped off.
Se sentó a la cabeza de la mesa y lideró la conversación. Y se aseguró de que todos los huéspedes tenían su copa llena.

This is a traditional Christmas Eve dinner in Spain.
Esta es una cena tradicional de Navidad en España.

VALUES VALORES

It was just Pau and NBA trainer Rob McClanaghan. The floor was dusty, so Pau just grabbed the broom and started cleaning. It's not beneath him.
Estaban Pau y el entrenador Rob McClanaghan solamente. El suelo estaba lleno de polvo, así que Pau cogió la escoba y empezó a barrer. No se le caen los anillos.

He chooses the color, style, and texture, and they make every suit he wears.
Escoge el color, la tela, y el dibujo. y le hacen a medida todos sus trajes.

He was getting dressed for *The Late Late Show* with Craig Ferguson and was goofing off as usual. He's not nervous appearing in front of the camera.
Estaba acabando de vestirse para *The Late Late Show* con Craig Ferguson y estaba bromeando, como de costumbre. No se poner nervioso por aparecer delante de la cámara.

Pau laughed at everything his grandmother said. They adore each other.
Pau sonreía a todo lo que decía su abuela. Se tienen verdadera adoración.

He often escapes to the beach to think.
Se escapa a la playa siempre que puede para meditar.

He reminded me of a matador getting ready to enter an arena.
Me recordó a un torero a punto de entrar en la Plaza.

People think Pau has helpers and handlers everywhere, but clearly, he doesn't.
LA gente cree que Pau tiene a gente que le hace todo, y no es así realmente.

He never listens to music when walking on the beach because he likes to hear the sounds of the ocean.
No escucha música cuando está paseando por la playa, porque le gusta escuchar el sonido de las olas y el mar.

And he gets bored while pumping gas, too!
Y también se aburre poniendo gasolina!

AMERICA AMÉRICA

This was first photo I shot after we decided to do the book. It set the tone for the rest of the book—he's so accessible and so human.
Aquí está la primera foto que tomé, una vez decidimos llevar adelante este proyecto. Marcó la línea para el resto del libro: es muy humano y accesible.

The streets were steep and we had to walk far. He covers a lot of ground fast!
Las calles tenían mucha pendiente y teníamos que andar bastante. Él avanza muy rápido!

Who hasn't sat by a hotel window to check text messages? He is so normal.
Quién no se ha sentado alguna vez frente a una ventana de hotel, para mirar mensajes de texto... Es una persona como las demás.

His pitch went straight into the catcher's mitt.
Su lanzamiento fue directo al guante del catcher.

Oranges, olives, and eggs. He does his own grocery shopping often.
Naranjas, aceitunas y huevos. A menudo es él quien hace su propia compra.

He got to the dentist's office and went straight to the back. He never hangs around in waiting rooms. No cavities.
Fue al dentista y entró por la puerta trasera. No suele esperar en las salas de espera. No había caries.

He's like everybody else. He loads his own groceries into the car.
Como cualquier otra persona, carga la compra en el coche.

READING LECTURA

His favorite room in the house is his living room, from where he has a nice view of the ocean.
Su estancia preferida en casa es la sala de estar, desde la que tiene una bonita vista del Océano.

He takes great interest in his fellow Spaniards and was engrossed in this article about actor Javier Bardem.
Tiene mucho interés en ver cómo les va todo a sus compatriotas. Estaba abstraído leyendo este artículo sobre el actor Javier Bardem.

In America, players get their own rooms. I found it interesting that in Spain, they not only share a room, but their beds are pushed together.
En Estados Unidos, cada jugador tiene una habitación. Encontré interesante que con la selección no sólo comparten habitación, sino que Pau y su compañero juntaron las camas.

FAME FAMA

He did a voiceover for a Spanish commercial and got goofy toward the end since he had to record it so many times.
Estaba haciendo un doblaje para un anuncio, y empezó a bromear hacia el final, después de tener que repetirlo tantas veces.

This lady is saying: "You need to work out more and go to the gym so they don't push you around as much!" That was a funny moment.
Esta mujer le estaba diciendo: Tienes que ir al gimnasio y entrenar más par que no te den tan duro en la pista! Fue un momento muy curioso y divertido.

Pau usually draws a lot of attention in waiting rooms, like during this trip to the dentist. The staff always escorts him to a private office to fill out his paperwork.
Pau suele despertar bastante atención en las salas de espera; como en esta visita al dentista. El personal siempre tiene que acompañarle a alguna sala privada en la que pueda rellenar los formularios con tranquilidad.

PHILANTHROPY FILANTROPÍA

Pau never reads from a script. He speaks from the heart and captivates the kids.

Pau nunca lee sobre ningún guión preparado. Habla desde el corazón y cautiva naturlamente a los niños.

When Pau visited this preemie, the parents lit up. He's so uplifting.

Cuando Pau visitó a este bebé prematuro, a los padres de les iluminó la cara. Produce esa sensación de inspiración.

This little girl with Progeria—which makes children age rapidly—is very fragile. He is so tender when he speaks to her.

Esta pequeña niña con Progeria (a explorar)-una enfermedad que hace que los niños envejezcan de forma prmatura, es muy frágil. Él es muy tierno cuando está hablando con ella.

Pau signs posters and basketballs for all the kids he visits.

Pau firma pósters y balones para todos los niños del hispital en todas sus visitas.

He asked her if she was on Twitter. It was the funniest conversation!

Le preguntó si estaba en Twitter. Fue una conversación súper divertida!

It's not easy for him to get on his knees. But it's so important for him to get eye level. Pau thinks about those kinds of things.

No les es sencillo ponerse de rodilla. Pero siempre es importante para él estar a la altura del contacto visual. Pau piensa en este tipo de cosas.

It has long been one of Pau's dreams to start a foundation to help kids. He was so excited at this foundation launch event. He made it all about the kids.

Ha sido un sueño para Pau durante tiempo, empezar una fundación para ayudar a la infancia. Estaba muy ilusionado en el acto de inauguración. Era todo oro y para los niños.

He made sure every kid made a basket, even if they were weak or in a wheelchair.

Se aseguró de que todos los niños hicieran una canasta al menos: incluso aquellos más deébiles o incluso en una silla de ruedas.

BARCELONA

Sometimes he goes up this hillside to get away. You can see all of Barcelona.

A veces viene a esta colina en lo alto de Barcelona para escapar de todo y relajarse.

There's always someone running out of their shop to ask for an autograph or to say a few words.

Siempre hay alguien saliendo de alguna tienda para pedir un autógrafo o hablar con el un rato.

I got nervous when Pau stepped out on his grandmother's small balcony. But you can tell he's done it a million times.

Me puse algo nerviosa cuando vi a Pau salir al diminuto balcón de casa de su abuela. Pero era evidente que lo había hecho en muchísimas ocasiones antes.

He bought a monk fish for dinner and the fishmonger told him how to prepare it.

Compró un rape para la cena, y el pescadero le epxlicó cómo tenía que prepararlo.

I didn't know he swam, and I was happy to get a photo of him doing something different to share with his fans. He swam the freestyle and butterfly like an Olympic champion.

No sabía que era tan buen nadador así que me alegré de poder tomar una foto de él haciendo algo diferente, para sus fans. Nadó crawl y mariposa como si fuera un nadado Olímpico.

SUCCESS EXITO

He did six laps in this Olympic-sized pool, and that was after an hour-long workout in the weight room.

Hizo 6 piscinas en esta piscina de dimensiones Olímpicas, y eso fue después de un entrenamiento de una hora en el gimnasio.

Surprisingly, Marc and Pau were both pretty equal. They played hard, but kept it friendly and light.

Sorprendentement, Marc y Pau estuvieron muy parejos. Jugaron duro, pero siempre dentro de la mayor cordialidad y deportividad.

During the season, his downtime is very precious to him. But no matter the obligation, he is totally immersed and engaged.

Fuera de la temporada NBA, su tiempo libre es realmente algo preciado para él. No obstante, cuando se compromete a algo, lo hace con total compromiso y dedicación.

It's a stretching ritual he does often, with his feet planted firmly on the floor. I can barely touch the bottom of the net when I jump.

Es un estiramiento que se ha convertido en un ritual: sus pies firmes en el parquet... Yo a penas llego a la red de la canasta saltando.

He's very comfortable in front of the camera. Shooting this commercial for a nonalcoholic beer only took a few takes.

Se siente muy tranquilo tanto frente como tras la cámara. Rodar este spot para uno de sus sponsors no requirió más de las tomas necesarias.

He is intense when he works out. He is focused and puts in the time.

Trabaja muy intensamente, se dedica totalmente, y se toma el tiempo que sea necesario.

Superman came to mind because of the way he was standing. He's so confident, and yet so humble.

Nos vino a la mente Super Man por la postura en la que estaba. Tiene mucha seguridad en sí mismo, pero al mismo tiempo es muy humilde.

The sports complex does not allow photographers in. However, this is Pau. He got me in.

El pabellón no deja que entren foógrafos, pero Pau consiguió que pudiera entrar.

Just like he is with the Lakers, he seems at home with his Spanish teammates. They really gravitate toward him.

Así como con los Lakers, con los compañeros de la selección, se siente como en casa. La verdad es que casi todos gravitan en torno a él.

Pau likes to hug and laugh with his family and close friends—all the time.

A Pau le gusta bromear, abrazar y reír con sus amigos y con su familia, siempre.

It's not often that Marc and Pau guard each other during Spanish team workouts.

Pau y Marc no se emparejan muy a menudo en los entrenamientos de la selección española.

They had just returned from a buffet lunch and were joking around in Spanish. I wish I understood what they were saying!

Acababan de volver de comer en el hotel de concentración y estaban bromeando en español. Ojalá hubiera sido capaz de comprender lo que decían!

Most of the time, he's in a really good mood.

La mayoría del tiempo está de verdadero buen humor.

Teenage friend Jorge Badosa is his right-hand man. People close to Pau know his silly side.

Jorge Badosa, su amigo de la adolescencia, es su mano derecha. La gente cercana a Pau conocen su lado más bromista.

He took Taekwondo lessons one summer to sharpen his senses, balance, and reflexes.

Hizo clases de TaeKwonDo aquel verano para afinar sus reflejos, su equilibrio y mejorar sus sentidos.

He is always stooping and ducking. I've never seen him hit his head.

Siempre para y agacha la cabeza. No le he visto nunca darse un golpe en estos casos.

KOBE

They don't normally laugh a lot on the court, but this was a preseason scrimmage. Off the court, this is their friendship.

No suelen bromear en pista, aunque este era un partido de pretemporada. Fuera de las pistas, esta es su amistad.

Pau visited Kobe. They talked about the upcoming season, his Achilles tendon, and wine. They watched *The Price is Right* and Kobe said he is always afraid people will trip when they get called. We all laughed.

Pau fue a visitar a Kobe. Hablaron sobre la siguiente temporada, el tendon de Aquiles de Kobe, y también sobre vino. Estuvieron viendo un programa titulado *The Price is Right* sobre el que Kobe bromeó, y todos reímos.

MEDICINE MEDICINA

He carried himself like a real doctor.
Se comportó com un auténtico médico.

Yes, these scrubs were special-ordered for him!
Sí, estas batas las pidieron especialmente para él.

The hospital provides glossy 8x10 photos that he can sign. Sometimes, he brings his own gifts, too.
El hospital tiene fotos de Pau para que él las pueda firmar para las fmailias. A menudo, él trae sus propios obsequios.

He spends about 10 minutes with each patient.
Suele pasar unos 10 minutos con cada familia a la que visita.

It was his first surgery and he got woozy. He had to sit down and someone brought him water. He got over it, though!
Esta era su primera operación y se mareó un poco. Tuvo que sentarse y le trajeron un poco de agua. Pero todo siguió perfectamente!

FANS AFICIONADOS

These ladies became frantic when none of them could find a pen.
Estas señoras se empiezan a poner algo nerviosas al no ser capaces de encontrar un bolígrafo.

This fan almost dropped the bike, with his kid still in it, trying to take out his camera phone. Pau had to grab the bike.
Este fan casi deja caer la bicicleta, cuando su hijo todavía esta encima, tratando de sacar su smartphone... Pau tuvo que coger la bicicleta.

Pau maintains his own Facebook page and Twitter account.
Pau lleva él mismo su propio Facebook y su propio Twitter.

Times have changed. More people want pictures instead of autographs.
Los tiempos han cambiado. La mayoría de gente prefiere una foto a un autógrafo.

Surrounded by Golden State fans, he saw this little girl and just walked over and high-fived her. Everyone was thrilled.
Rodeado de fans de los Warriors de San Francisco, Pau vio a esta niña entre la masa de gente y fue a chocar la mano con ella. Todos se quedaron impresionados.

This was just an exhibition game, but it was sold out. Everything Lakers sells out.
Este fue solo un partido de exhibición, y sin embargo se vendieron todas las entradas. Todo lo que hacen los Lakers cuelga el cartel de 'sin entradas'.

Ezra wanted to switch out his prosthetic leg after playing basketball to show Pau how fast he could run. Pau leaned in and helped him without missing a beat.
Ezra quería cambiar su prótesis después de jugar a Basket, para poder mostrar a Pau lo rápido que podía correr. Pau se inclinó y le ayudó sin perder ni uno solo de los pasos.

They alley-ooped twice and he dunked it both times!
Intentaron el alley oop (fly) dos veces, y ambas lo consiguieron.

They just adore each other, and it was so natural for Ezra to give him a peck on the cheek.
Simplemente sienten adoración el uno por el otro, y fue tan natural para Ezra darle un beso en la mejilla a Pau.

CHALLENGES RETOS

I only shot three frames and left him alone. I tried to be very careful not to impose, but really wanted to capture the most intimate moments.
Sólo tomé 3 fotos y no quise molestar más. Trato de ser muy cuidadosa y no entrometerme en momentos delicados, pero realmente quería capturar los momentos más personales.

It was the end of the 2011 season. I thought: things were really bad and getting worse. And now this?
Así acabo la temporada 2010/2011. Pensé, 'la situación era delicada e iba a peor, y, ¿ahora esto?

He goes to the dojo on a day that it is closed so he can practice in private.
Va al gimnasio un día en el que este cerrado para poder practicar en privado.

Pau knows how to read MRIs so he examines the film intently. He was very concerned about his knee injury and breathed a visible sigh of relief when he found out it wasn't bad.
Pau sabe interpretar la resonancia así que lo hace a su ritmo. Estaba preocupado por su rodilla y respiró tranquilo cuando averiguó que no era grave.

A chair fell on his foot during Christmas Eve dinner, which also happened to be the day before a big game against the Miami Heat. The entire room got quiet. Someone ran to get ice, another person grabbed an aluminum baking pan, and Pau iced his foot for an hour or two.
Le cayó una silla en el pie durante la cena, y tuvo la mala fortuna de que fue justo el día anterior de un partido muy importante contra Miami Heat. Todos se quedaron callados. Alguien fue a coger hielo, otra persona un recipiente de aluminio, y Pau se puso hielo en el pie durante un par de horas.

This photo was taken less than a week after he almost got traded. The gravity of what almost happened caught up with him.
Esta foto fue tomada menos de una semana después de que casi fuera traspasado a otro equipo (el traspaso fue cancelado por la NBA). Le pasó factura la tensión de aquellos días.

To pass time during knee rehab, he watched movies, read, and did his social networking.
Para pasar el tiempo durante el periodo de recuperación, estuvo mirando películas y trabajando en sus redes sociales.

Despite his injuries, Pau comes out to support his teammates. That's why he's so well-liked and admired by them.
Pese a las lesiones, Pau quiere seguir dando apoyo a sus compañeros. Por ello es por lo que le admiran tanto.

BEYOND BASKETBALL
DESPUÉS DEL BALONCESTO

The Lakers' training facility in El Segundo, California, is where all the championship trophies are kept.
La pista de entrenamiento de Lakers en El Segundo, California, es donde se guardan todos los trofeos de campeón que tienen los Lakers.

He does not fly on private planes unless there is no other option.
No vuela en avión privado a no ser que no haya ninguna otra alternativa.

This little girl has Progeria, which produces rapid aging in children. This moment was so touching because it symbolized them walking into the future together.
Esta niña tiene Progeria, que hace envejecer de forma acelerada. Este momento fue muy emocionante porque era el símbolo de ambos caminando hacia el futuro, juntos.

ACKNOWLEDGMENTS

Silvia López for supporting me during these years and for the patience shown in the multiple hours I've dedicated to this book.

Jorge Badosa for checking every little detail with enthusiasm and earnest, and for working tirelessly on every aspect of the book.

Erin Estrada for always defending my interests and for her involvement in this book as if it were hers.

The amazing team at Wasserman and McCann for being experts in their fields.

John Black for planting the seed for this project.

Children's Hospital Los Angeles for allowing us photographic access to the wonderful kids who are facing real challenges in life and are fighting valiantly with the help of great doctors every day.

The Lakers for providing us full access.

The Spanish Basketball Federation for providing us full access.

UNICEF for the use of photos from my first trip to Africa.

My mom, dad, Marc, and Adrià for loving me for who I am. Always.

Heartfelt thanks to Phil Jackson, Kobe Bryant, and Juan Carlos Navarro for their cherished words. I am humbled.

"The Team" — Phuong Nguyen Cotey for bringing out the best of my words, even when our conversations took place over cross-country and cross-continent video chats; Howard Shen for marrying the words and photographs with such finesse; Lori Shepler for her photography and for bringing this book to life in a unique and creative way. Your devotion and love for this book never waned, even in the final months, when you sent me 2,357 emails. Big hug.

To everyone who has been a part of this book directly or indirectly. There are so many people who have lent a hand, an opinion, an idea, in making this book so special to me.

Pau

AGRADECIMIENTOS

A Silvia López por apoyarme durante estos años y haber tenido paciencia en las múltiples horas que le he dedicado a este libro.

A Jorge Badosa por supervisar cada detalle con entusiasmo y empeño y trabajando de forma incansable en cada aspecto de nuestro libro.

A Erin Estrada por defender siempre mis intereses y por su involucración en este libro como si fuera suyo.

A los grandes equipos de Wasserman y de McCann por su contribución en diferentes aspectos.

A John Black por plantar la semilla de este proyecto.

A Children's Hospital Los Angeles por permitirnos acceso fotográfico a esos niños maravillosos que están enfrentándose a verdaderos retos en la vida luchando con valentía con la ayuda de grandes doctores a diario.

A los Lakers por darnos acceso abierto.

A la Federación Española de Baloncesto por darnos acceso abierto.

A UNICEF por dejarnos utilizar fotos de mi primer viaje a África.

A mi madre, mi padre, mis hermanos, por quererme en todo momento. Siempre.

Gracias de corazón a Phil Jackson, Kobe Bryant, y Juan Carlos Navarro por sus profundas palabras. Me llenan de humildad.

«El Equipo» - A Phuong Nguyen Cotey por sacar lo mejor de mis palabras, aun cuando nuestras conversaciones han tenido que ser a miles de kilómetros; a Howard Shen por casar las palabras y las fotografías con tanta sutileza; a Lori Shepler por haber hecho que este libro salga a la luz de forma única y creativa. Tu devoción y amor por este libro nunca menguó, ni en los últimos meses, cuando me mandaste 2,357 correos electrónicos. Un fuerte abrazo.

A todos aquellos que habéis formado parte de forma directa o indirecta de este libro. Ha habido muchas personas que han aportado su opinión, una idea, o han echado una mano en hacer este libro tan especial para mí.

Pau

ACKNOWLEDGMENTS

The past four years have been among the most rewarding and the most challenging times of my life. It was rewarding to have the honor of discovering, appreciating, and adoring Pau Gasol for the wonderful person he is at his core. The challenge was in bottling the essence of a popular public figure with a huge heart encased in a tender private side and pouring it all into a book—and doing it thoroughly. This was no easy task.

With the help, advice, and support of many people, I can say I am very proud of the way this book has turned out. I would like to acknowledge everyone here and I apologize in advance if I have inadvertently left anyone out:

My gratitude, of course, goes to Pau for believing in me and my ambitious idea. I'm a big dreamer and he recognized my vision of a collaborative game plan.

I wish to thank Lakers PR guru John Black for introducing me to Pau in 2009, thus lighting the spark for this project. John has supported me since our first meeting on the Lakers basketball court more than thirty years ago. Without that introduction, this book wouldn't be possible.

I want to thank Jorge Badosa for his tireless help, patience, and perseverance.

Thank you to Tammy Lechner, Narda Zacchino, Gary Vitti, Sandra Goroff, David Colker, John Cotey, Tim Hoy, Mel Melcon, Shanna Gilfix, Dean Okamura, Mario Acosta, Kevin Lafond, Genaro Molina, Lon Rosen, Ruth Shen, Jerry Bernstein, and Heather Roberts for their suggestions, expertise, and friendship.

Many thanks to Randy Leffingwell, Dickson Louie, and Kira Fulks, for their expert advice about the book publishing business and for patiently answering my many phone calls and e-mails. Thanks to Nirmala Bhat for her excellent copyediting skills.

A huge thank you to a person who has my utmost respect: my amazing friend Paul McCulley. Thank you for supporting my new business endeavor and for backing me up in ways beyond measure that warrant a gratitude beyond words.

Thank you to Silvia López for her great support and for being always positive and willing to help.

And appreciation goes to Pau's fans and other readers who will enjoy getting to know his other facets in this book!

Special thanks to Phuong Nguyen Cotey for her amazing writing and editing talents, and for her passionate interest in making this book the absolute best it can be. And to Howard Shen for putting all the crucial pieces together and bringing the pages to life with his expert design.

And to my very special one, Terra Buselt, for her unwavering support and sacrifice, and for always remaining present, even when I was absent.

This book is dedicated to my mom, dad, and brother. I hope this makes you proud!

With endless gratitude,

Lori Shepler, Photographer

AGRADECIMIENTOS

Los últimos cuatro años han sido los más desafiantes y los más reconfortantes de mi vida. La recompensa ha sido el honor de conocer y apreciar a Pau Gasol por la persona que es interiormente. El desafío ha sido tratar de captar y reflejar la esencia de alguien a quien admiro profundamente, plasmándola en este libro. Y hacerlo en toda su dimensión. Algo nada sencillo.

Con la ayuda, el consejo y el apoyo de mucha gente, puedo decir que estoy orgullosa de cómo han sido las cosas y del resultado de este libro. Quiero transmitir y comunicar mi agradecimiento a todas aquellas personas que lo han hecho posible, y pido disculpas de antemano si me he olvidado de alguna de estas personas que han hecho este camino más sencillo:

Mi agradecimiento, por supuesto, para Pau, por creer en mí para este proyecto tan especial. Soy una gran soñadora, y él compartió mi visión de este libro.

Quiero agradecerle al gurú de los Lakers, John Black, haberme presentado personalmente a Pau en el 2009, haciendo posible que surgiera la chispa que hizo que lleváramos a cabo este proyecto. John me ha apoyado en estos 30 años desde que nos conocimos en la pista de los Lakers. Sin esa presentación, este libro no habría sido posible.

Quiero agradecer a Jorge Badosa su incansable ayuda, perseverancia y amistad.

Gracias a Tammy Lechner, Narda Zacchino, Gary Vitti, Sandra Goroff, David Colker, John Cotey, Tim Hoy, Mel Melcon, Shanna Gilfix, Dean Okamura, Mario Acosta, Kevin Lafond, Genaro Molina, Lon Rosen, Ruth Shen, Jerry Bernstein y Heather Roberts, por sus sugerencias, su experiencia y su amistad.

Muchas gracias a Randy Leffingwell, Dickson Louie y Kira Fulks, por su experto consejo y opinión sobre el negocio de la edición y por responder pacientemente todas mis llamadas y todos mis correos electrónicos. Muchas gracias a Nirmala Bhat por sus excelentes habilidades de edición.

Mi enorme agradecimiento a una persona que tiene mi mayor respeto: mi gran amigo Paul McCulley. Gracias por apoyar mi nuevo proyecto y viaje, y por estar a mi lado de una forma extraordinaria, a lo que respondo con una gratitud que va más allá de las palabras.

Gracias a Silvia López por ser de gran apoyo, siempre positiva y dispuesta a ayudar.

Y todo mi reconocimiento y agradecimiento a los fans de Pau y a otros lectores, que disfrutarán el poder conocer más de esta persona gracias a este libro.

Mi especial agradecimiento a Phuong Nguyen Cotey por su sensacional forma de escribir y talento al editar, y por su pasión e interés en llevar a buen puerto este libro, sacando del proyecto lo máximo que se podía sacar. Y gracias a Howard Shen por ensamblar todo el resto de piezas, dándoles vida a las páginas de este libro con su experto diseño.

Y también a una persona extremadamente especial, a Terra Buselt, por su apoyo incondicional e inquebrantable, y por estar siempre presente, incluso cuando yo no lo estaba.

Este libro está dedicado a mi madre, a mi padre, y a mi hermano. Espero que podáis sentiros orgullosos.

Con enorme gratitud.

Lori Shepler

Lori Shepler, Fotógrafo

THE TEAM EL EQUIPO

For more than twenty-five years, award-winning photographer Lori Shepler captured moments of grace, passion, and excitement for readers of the Los Angeles Times. She is the recipient of three team Pulitzer Prizes in spot news photography. Lori spent her childhood traveling the world and has lived in six different countries. She makes her home in the Los Angeles area with her famous cat, City the Kitty, and has started a new career in book publishing. www.ctkproductionsllc.com

Desde hace más de veinticinco años, la galardonada fotógrafa Lori Shepler lleva capturando momentos de gracia, pasión, y entusiasmo para los lectores del diario Los Angeles Times. Ha recibido tres premios Pulitzer equipo en lugar de la fotografía de prensa. Lori pasó su infancia viajando por el mundo y ha vivido en seis países diferentes. hace su casa en el área de Los Ángeles con su famoso gato, City the Kitty, y ha comenzado una nueva carrera en la edición de libros.

Photo by Terra Buselt

Phuong Nguyen Cotey is a former newspaper reporter and a two-time Pulitzer Prize nominee in feature writing for her work at the San Diego Union-Tribune (now known as U-T San Diego) and the St. Petersburg Times (now the Tampa Bay Times). She left journalism to follow her other interests at a nonprofit public policy think tank and built a second career around philanthropies and foundations. Now, she's discovered a third career she's equally passionate about: book editing and writing. Phuong resides in Florida with her husband, children, and two miniature labradoodles. She volunteers at nursing homes, hospitals, and schools with one of her doodles, a certified therapy dog. www.phuongnguyencotey.com

Phuong Nguyen Cotey es una experiodista dos veces nominada para el premio Pulitzer en la escritura característica. Dejó el periodismo para trabajar por una política pública sin fines de lucro de reflexión y construyó una segunda carrera en torno a obras benéficas y fundaciones. Y ahora se ha descubierto una tercera carrera que es igualmente apasionado: edición de libros y la escritura. Phuong reside en Florida con su esposo, dos hijos y dos labradoodles miniatura.

Howard Shen is a first-generation immigrant from Taiwan with twenty years of international design experience working for startup dotcoms and top 20 Fortune 500 companies. He is an accomplished photographer and avid hockey player. Howard lives in Orange County with his three dogs and loves watching the Lakers on TV with his mother. www.howardhaoshen.com

Howard Shen es un inmigrante de primera generación de Taiwán con veinte años de experiencia en diseño internacional que trabaja por puntocom inicio y Fortune 20 empresas. Él es un fotógrafo consumado y ávido jugador de hockey. Howard vive en el Condado de Orange con sus tres perros y le encanta ver a los Lakers en la televisión con su madre.